Le bridge

Données de catalogage avant publication (Canada)

Beaulieu, Viviane
    Le bridge : apprendre à jouer ou à parfaire sa technique

    1. Bridge.   I. Titre.

GV1281.B43   2002   795.41'5   C2002-940899-7

DISTRIBUTEURS EXCLUSIFS:

* Pour le Canada
  et les États-Unis:
  MESSAGERIES ADP*
  955, rue Amherst
  Montréal, Québec
  H2L 3K4
  Tél.: (514) 523-1182
  Télécopieur: (514) 939-0406
  * Filiale de Sogides ltée

* Pour la France et les autres pays:
  VIVENDI UNIVERSAL PUBLISHING SERVICES
  Immeuble Paryseine, 3, Allée de la Seine
  94854 Ivry Cedex
  Tél.: 01 49 59 11 89/91
  Télécopieur: 01 49 59 11 96
  Commandes: Tél.: 02 38 32 71 00
                     Télécopieur: 02 38 32 71 28

* Pour la Suisse:
  VIVENDI UNIVERSAL PUBLISHING SERVICES SUISSE
  Case postale 69 - 1701 Fribourg - Suisse
  Tél.: (41-26) 460-80-60
  Télécopieur: (41-26) 460-80-68
  Internet: www.havas.ch
  Email: office@havas.ch
  DISTRIBUTION: OLF SA
  Z.I. 3, Corminbœuf
  Case postale 1061
  CH-1701 FRIBOURG
  Commandes: Tél.: (41-26) 467-53-33
                     Télécopieur: (41-26) 467-54-66

* Pour la Belgique et le Luxembourg:
  VIVENDI UNIVERSAL PUBLISHING SERVICES
  BENELUX
  Boulevard de l'Europe 117
  B-1301 Wavre
  Tél.: (010) 42-03-20
  Télécopieur: (010) 41-20-24
  http://www.vups.be
  Email: info@vups.be

Pour en savoir davantage sur nos publications,
visitez notre site: **www.edhomme.com**
Autres sites à visiter: www.edjour.com • www.edtypo.com
www.edvlb.com • www.edhexagone.com • www.edutilis.com

Dépôt légal: 3e trimestre 2002
Bibliothèque nationale du Québec

ISBN 2-7619-1749-9

Gouvernement du Québec – Programme de crédit d'impôt pour
l'édition de livres – Gestion SODEC.

L'Éditeur bénéficie du soutien de la Société de développement des
entreprises culturelles du Québec pour son programme d'édition.

Nous reconnaissons l'aide financière du gouvernement du Canada
par l'entremise du Programme d'aide au développement de l'in-
dustrie de l'édition (PADIÉ) pour nos activités d'édition.

Apprendre à jouer ou
à parfaire sa technique

Le bridge

Viviane Beaulieu

NOUVELLE ÉDITION

LES ÉDITIONS DE
L'HOMME

Merci à Charles et Constance Tessier.
Vous m'avez ouvert la porte.

Je dédie ce livre à mes trois petits-enfants :
Marie-Josée, Isabelle et Jean-François.

Cet ouvrage s'adresse à l'apprenti bridgeur

Dans cette troisième édition de mon livre sur le bridge, vous trouverez tout ce qu'il faut savoir pour jouer au *Rubber Bridge* (bridge contrat), au bridge Duplicata et au Bridge sur Internet.

Le *Rubber Bridge* consiste à faire une partie de bridge à quatre personnes dans l'intimité du foyer, où on joue des parties de deux ou trois manches. C'est ce qu'on appelle communément jouer au bridge.

Le bridge Duplicata consiste à jouer dans un club de bridge à plusieurs tables. C'est une forme de tournoi dans lequel on fait jouer les mêmes donnes à toutes les équipes (les unes contre les autres), ceci pour une juste comparaison des résultats qui ne sont pas soumis au hasard de la chance.

Le bridge sur Internet consiste à jouer seul sur son ordinateur branché sur Internet qui met à notre disposition un partenaire et des adversaires. On peut y jouer toutes les formes du bridge.

Ces trois aspects du bridge sont soumis aux mêmes principes et seule la marque des points, tout en conservant les mêmes valeurs, s'inscrit différemment.

Par son aspect scientifique, le bridge est un jeu culturel qui exerce et améliore les facultés mentales.

Le bridge est à l'esprit ce que le sport est au corps. C'est le moyen par excellence d'occuper ses loisirs.

Pour faire une bonne partie de bridge, il ne suffit pas d'être doué pour les cartes : encore faut-il connaître les règles du jeu. Le but de cet ouvrage sans prétention est d'en exposer le principe le plus simplement possible.

Viviane Beaulieu

Chapitre 1

Le mécanisme du *Rubber Bridge*

■ Notions préliminaires

Pour faire une partie de bridge, il est nécessaire que vous soyez 4.

Pour une meilleure compréhension de ce jeu, chacune des 4 personnes prendra le nom d'un des 4 points cardinaux.

Sud sera le partenaire de Nord et Ouest celui d'Est. Ils formeront ainsi deux équipes qui joueront l'une contre l'autre.

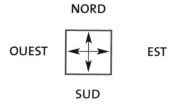

Il faut deux jeux de cartes faciles à différencier grâce au dessin ou à la couleur imprimé sur l'envers des cartes. Chaque jeu doit contenir 52 cartes, se répartissant également, par ordre de priorité décroissant, entre les couleurs

♠, ♥, ♦ et ♣. Chaque couleur comprend donc 13 cartes, allant de l'As au 2, de la plus forte à la plus faible.

On utilise un jeu à la fois. L'autre est battu par le partenaire du donneur et servira à la donne suivante.

■ Le choix du partenaire

À moins d'entente préalable, on étend un jeu de cartes sur la table, en éventail, la face antérieure cachée, et chaque joueur tire une carte. Les deux plus fortes désignent Nord et Sud, qui font équipe contre les deux autres joueurs.

Les joueurs ont le privilège de changer de partenaire après chaque partie si le cœur leur en dit.

Le succès d'une partie de bridge repose sur la compréhension des enchères et sur la confiance mutuelle des partenaires, car le bridge est un jeu d'équipe qui exige une collaboration intelligente entre partenaires d'une même équipe.

■ Le donneur

Celui qui, lors de la formation des équipes, aura tiré la carte la plus forte sera le premier donneur. Il aura aussi le privilège de choisir sa place à la table et le jeu de cartes à distribuer.

Il remarquera la couleur de ce jeu, car durant toute la partie lui et son partenaire distribueront toujours ces mêmes cartes. L'autre jeu sera distribué par les adversaires. Ainsi, il n'y aura pas de confusion quant à savoir qui doit donner.

■ Qui bat les cartes ?

Le donneur ne bat pas ses cartes lui-même. Il les fait battre par son adversaire de gauche, couper par celui de droite, avant de les distribuer toutes, une par une, en commençant par son adversaire de gauche et en continuant dans un mouvement circulaire, pour finir à sa place. Chaque joueur aura par conséquent 13 cartes.

Quand les cartes sont mal données, on recommence la donne.

Pendant que le donneur distribue les cartes, son partenaire bat l'autre jeu et le place sur la table, à sa droite, où il sera prêt pour la donne suivante.

Son tour venu, le donneur suivant prendra le paquet placé à sa gauche, le fera couper par son adversaire de droite avant de le distribuer, et ainsi de suite tout au long de la partie. Il serait logique que la personne qui coupe reconstitue elle-même le paquet.

Il est à remarquer que le jeu à donner se trouve toujours placé à la gauche du donneur suivant.

On attendra que toutes les cartes soient données avant de les ramasser. Puis, on les placera dans la main par séries de couleurs.

■ Qui annonce le premier ?

C'est le donneur qui annonce le premier, soit en faisant une enchère, soit en disant « PASSE ». C'est ensuite le tour de l'adversaire placé à la gauche du donneur et cela se poursuit ainsi, dans le sens des aiguilles d'une montre, tant que les enchères restent ouvertes.

Si les 4 joueurs passent, on recommence la donne en ayant recours au donneur suivant.

■ Le déclarant

Le déclarant est celui de l'équipe déclarante qui, le premier, a nommé la couleur d'atout ou le Sans-Atout du contrat final.

C'est le déclarant qui jouera le contrat. Son partenaire fera le « mort ».

Le déclarant se servira du jeu du mort pour réussir son contrat. C'est lui qui jouera les cartes du jeu du mort. C'est aussi lui qui décidera quelles cartes jouer et non le mort. Il est même interdit au mort de toucher à l'une de ses cartes sans que son partenaire le lui ait demandé, car cela pourrait inciter le déclarant à mener son jeu différemment.

■ **Le mort**

Le «mort», c'est le partenaire du déclarant. Il devient le mort dès que l'enchère est terminée. Il n'a en effet rien d'autre à faire que de dévoiler son jeu et de l'étaler sur la table, après que l'entame a été faite.

Il place ses cartes d'atout à sa droite et aligne vers la gauche ses autres séries de cartes (classées par couleur), bien à la vue de tous. Il est bon de séparer les couleurs rouge et noire en les alternant.

Le mort ne doit pas regarder les jeux de ses adversaires ; si une irrégularité se produit, il peut la signaler, à condition qu'il n'ait pas vu les autres jeux.

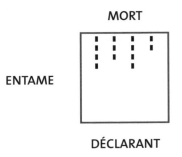

■ **L'entame**

Quand les enchères sont terminées, le jeu de la carte commence.

Faire l'entame d'ouverture, c'est jouer la première carte de la première levée. C'est toujours l'adversaire placé à la gauche du déclarant qui fait l'entame.

Entamer une couleur, pendant le jeu, c'est jouer la première carte de cette couleur ; ce qui est effectué par le joueur qui a la main.

■ La levée

Avec l'entame, le jeu est commencé. Le déclarant doit alors prendre 15 secondes ou plus pour élaborer son plan, dès qu'il voit le jeu du mort. Les adversaires font de même pour la défensive. Après quoi, le déclarant joue une carte du jeu du mort, l'adversaire suivant le mort joue à son tour et finalement, le déclarant joue une carte de sa main.

Ces 4 cartes jouées forment une levée (on dit aussi un «pli») qui sera gagnée par l'équipe ayant joué la plus forte carte de la couleur demandée ou ayant coupé, si le contrat est en atout.

On doit obligatoirement fournir à la couleur demandée quand on a la possibilité de le faire. Sinon, on peut soit se défausser (glisser) d'une carte au choix soit couper. Ne pas fournir à la couleur demandée quand on peut le faire constitue une «renonce» pénalisable de 1 ou 2 levées selon le cas.

Celui qui aura joué la plus forte carte ou qui aura coupé le plus haut pour gagner la levée jouera la première carte de la levée suivante.

Quand le déclarant gagne la levée avec une carte du jeu du mort, il doit entamer la levée suivante avec une carte du jeu de ce dernier. De même, quand il gagne avec une carte de sa main, il doit partir de sa main.

Le déclarant rangera ses levées gagnées devant lui, de façon qu'on puisse les compter aisément, et ses adversaires feront pareil, d'un côté ou de l'autre de l'équipe dans le même but. Avant qu'une levée ne soit fermée, il faut toujours observer attentivement les cartes qui viennent d'être jouées, car une levée fermée ne peut plus être relevée.

■ Le livre (les 6 plis de base)

On appelle «livre» les 6 levées qu'il faut gagner avant de compter les levées qu'on s'est engagé à faire. Par exemple, quand j'annonce 2 ♠, je m'engage à gagner 8 levées : 6 pour mon livre et 2 pour mon contrat.

Il y a en tout 13 levées : 6 pour le livre et 7 pour les contrats.

On peut annoncer de UN ♣ jusqu'à SEPT Sans-Atout, selon le nombre de levées qu'on espère gagner en plus du livre.

Les 6 levées qui forment le livre ne donnent pas de points, mais chaque levée du contrat annoncé et réussi donne des points de «bas de ligne».

Chaque levée gagnée en plus du contrat annoncé donne des points de «haut de ligne».

Chaque levée de chute (quand on ne réussit pas son contrat) donne des points de «haut de ligne» aux adversaires.

■ La valeur des levées du contrat

SANS-ATOUT :	La première levée donne 40 points.
	Chacune des levées suivantes donne 30 points.
♠ ET ♥ :	Chaque levées donne 30 points.
♦ ET ♣ :	Chaque levée donne 20 points.

Les levées supplémentaires ont la même valeur que celles du contrat annoncé. Mais comme elles sont inscrites en haut de la ligne, elles ne servent pas à former les manches, qui sont l'essence de la partie.

La valeur des levées supplémentaires varie quand le contrat est «contré» ou «surcontré» et selon la «vulnérabilité».

La valeur des levées de chute varie aussi dans les mêmes circonstances.

■ Les manches

Pour gagner une partie de bridge (qu'on appelle aussi «ROBRE»), il faut qu'une équipe remporte 2 manches, consécutives ou non.

Cela revient à dire qu'il n'y a jamais plus de 3 manches dans une partie de bridge.

Faire une manche, c'est gagner 100 points de bas de ligne. Une manche peut contenir plus de 100 points, mais jamais moins.

Pour gagner ces points, il faut annoncer des contrats et les réaliser. C'est la seule façon de gagner des points de bas de ligne.

Dès qu'une manche est terminée, on tire un trait en dessous des points correspondants pour les séparer de ceux de la manche suivante.

■ Les manches partielles ou contrats partiels

Une manche ne se gagne pas nécessairement en un seul contrat. Il faut parfois en réussir plusieurs pour en terminer une. Cela se produit quand on ne peut annoncer que des parties de manche, qu'on accumulera jusqu'à l'obtention des 100 points requis.

Mais si entre-temps les adversaires gagnent une manche, il faut alors repartir de zéro, car toute manche remportée par une équipe annule les parties de manche de ses adversaires. Cependant, on tiendra compte de ces points dans l'addition finale.

On doit toujours viser à faire une manche. Mais pour en avoir le bénéfice, il faut l'annoncer. Il est donc extrêmement important de savoir annoncer son jeu selon sa juste valeur.

Si j'annonce 2 ♠ quand je peux en réussir 4, par exemple, je n'obtiendrai que le crédit de 2 levées au bas de la ligne, ce qui ne constituera qu'un début de manche. Les points des 2 autres levées iront en haut de la ligne où ils auront moins de valeur, et j'aurai raté l'occasion de faire une manche.

Il va sans dire qu'un contrat non réalisé n'accorde aucun point, mais une pénalité de chute en faveur des adversaires (pénalité marquée en haut de ligne).

Ainsi, si j'annonce 4 ♠ et n'en réussis que 3, non seulement je n'aurai aucun gain pour ces 3 levées, mais j'aurai une pénalité de chute d'une levée.

Autant il est important d'annoncer la manche quand c'est possible, autant il est futile de s'engager dans un contrat supérieur, sauf lorsqu'on vise le chelem.

De même, quand on a un début de manche, il est inutile d'annoncer plus haut qu'il n'est nécessaire pour la finir, hormis lorsqu'on y est poussé par ses adversaires ou qu'on a assez de points pour annoncer un chelem.

■ Les contrats de manche

Pour déclarer une manche entière, il faut annoncer :

3 SANS-ATOUT	40 + 30 + 30 = 100 points.
4 ♠	4 x 30 = 120 points.
4 ♥	4 x 30 = 120 points.
5 ♦	5 x 20 = 100 points.
5 ♣	5 x 20 = 100 points.

Il faut gagner 9 levées (6 + 3) pour la manche à Sans-Atout.

Il faut gagner 10 levées (6 + 4) pour la manche à ♠ et à ♥.

Il faut gagner 11 levées (6 + 5) pour la manche à ♦ et à ♣.

La partie prend fin dès qu'une équipe a remporté 2 manches. On fait alors le total des points. L'équipe gagnante est celle qui en a le plus, et qui n'est pas nécessairement celle ayant terminé 2 manches.

On peut gagner une partie de bridge en 2 donnes seulement, si on a la chance d'annoncer et de réaliser 2 contrats de manche consécutifs.

Un «robre» de 2 manches donne une prime de 700 points.

Un «robre» de 3 manches donne une prime de 500 points.

■ La vulnérabilité

On devient «vulnérable» dès qu'on a terminé une manche.

Dans le dictionnaire, le mot «vulnérable» est défini comme suit : «Qui peut être blessé, qui peut être attaqué avec succès». Par conséquent, lorsqu'on est vulnérable, on doit agir avec plus de prudence. Les erreurs sont plus coûteuses. Par contre, certaines primes ont plus de valeur et les chances de gagner la partie sont plus grandes.

Il est à remarquer que la vulnérabilité n'affecte jamais ni les points de bas de ligne, ni les points d'honneurs, ni les points des levées supplémentaires quand on n'est pas contré. Mais lorsqu'on est contré, les levées supplémentaires prennent plus de valeur et davantage encore si on est vulnérable. Il en est de même en ce qui concerne les levées de chute, qui sont donc plus pénalisées dans ces deux cas.

Les primes de chelem ont elles aussi plus de valeur quand on est vulnérable.

■ Les chelems

Il y a deux sortes de «chelems», les petits et les grands. Annoncer un «petit chelem», c'est s'engager à gagner 12 levées sur 13, ce qui correspond à un contrat de niveau 6. Annoncer un «grand chelem», c'est s'engager à gagner toutes les 13 levées au complet, ce qui correspond à un contrat de niveau 7.

Les chelems s'annoncent en atout ou en Sans-Atout.

Il faut savoir annoncer les chelems car, tout comme pour les manches, il est obligatoire de les déclarer, et les réussir évidemment pour bénéficier des primes qu'ils offrent.

■ Le contre et le surcontre

«Double» et «redouble» sont des termes qu'on entend assez souvent; ce sont des anglicismes qui signifient la même chose que «contre» ou «surcontre».

Quand on estime que l'adversaire ne réussira pas son contrat, on peut «contrer», afin d'augmenter la valeur de la pénalité. C'est ce qu'on appelle un «contre de pénalité».

Quand, après avoir été contré, on estime qu'on réussira son contrat, on peut surcontrer, afin d'augmenter la valeur du contrat.

Seule l'équipe des adversaires peut contrer. Seule l'équipe déclarante peut surcontrer, mais seulement après avoir été contrée.

Toute enchère subséquente annule le contre ou le surcontre.

Les points de bas de ligne doublent de valeur quand l'enchère finale est contrée et redoublent quand elle est surcontrée, ce qui permet parfois de réussir une manche non déclarée.

Quand une enchère est contrée, certains points de haut de ligne prennent aussi de la valeur. (Voir le tableau de la marque des points à la fin de ce chapitre.)

■ Les pénalités

Il y a pénalité dès qu'un contrat n'est pas réussi.

Les pénalités varient selon qu'on est vulnérable, contré, surcontré ou non. Les points de pénalité s'inscrivent en haut de la ligne, du côté de l'équipe des adversaires.

■ Les primes

Les primes sont des points qui s'inscrivent en haut de la ligne, tout comme les points de pénalité.

On gagne une prime quand on réussit plus de levées que n'en imposait le contrat annoncé. La valeur de cette prime augmente quand il y a contre, surcontre et vulnérabilité.

Il y a les primes de chelems, lorsqu'ils sont annoncés et réussis. Ces primes varient selon la vulnérabilité.

Il y a la prime pour le robre, qui varie selon qu'il s'agit d'un robre de 2 ou de 3 manches.

Il y a la prime pour les honneurs, quand il y en a au moins 4 dans la même main.

Il y a la prime pour un contrat réussi qui a été contré ou surcontré.

Enfin il y a la prime pour chaque levée de chute des adversaires. Cette prime varie selon qu'ils sont vulnérables, contrés, surcontrés ou non.

■ Les honneurs

Les honneurs sont : les As, Rois, Dames, Valets et les Dix.

Pour bénéficier de la prime d'honneurs, une main doit contenir au moins 4 honneurs dans la couleur d'atout.

En cas de contrat à Sans-Atout, une main doit contenir les 4 As pour mériter la prime.

La «main» est le terme employé pour désigner les 13 cartes d'un joueur.

Les adversaires bénéficient de la prime quand l'un d'eux possède 4 ou 5 honneurs de la couleur d'atout. Cela est assez rare.

Les points d'honneurs restent acquis quand le contrat n'est pas réussi.

■ L'ordre de priorité des couleurs

SANS-ATOUT	Il se trouve au sommet de l'échelle des contrats.
♠	Il a la priorité sur toutes les couleurs.
	Il se situe au-dessus des 3 autres couleurs.
♥	Il a la priorité sur le ♥, le ♦ et le ♣.
	Il a la priorité sur le ♦ et le ♣.
♦	Il a la priorité sur le ♣ seulement.
♣	Il n'a aucune priorité.
	C'est la couleur la moins chère.

Le Sans-Atout est donc le plus CHER en rang de valeur et le ♣ le moins CHER.

♠ et ♥ sont les couleurs MAJEURES.

♦ et ♣ sont les couleurs MINEURES.

■ Les enchères

Une enchère est une annonce grâce à laquelle un joueur renseigne son partenaire sur le contenu de sa main. Cette dernière doit représenter un certain nombre de points pour qu'on puisse ouvrir les enchères.

La façon d'annoncer dépend de la méthode de bridge (ou système d'enchères) utilisée.

Quand la valeur de la main ne justifie pas une enchère, on dit tout simplement «PASSE».

Dès qu'une autre annonce que «PASSE» est faite, les enchères sont ouvertes.

À tour de rôle, les joueurs peuvent alors faire des enchères tant qu'une annonce n'est pas suivie de 3 «PASSE» prononcés par 3 joueurs consécutifs.

En respectant la priorité des couleurs, on peut monter progressivement de 1 ♣ jusqu'à 7 Sans-Atout.

Pour annoncer une couleur moins chère après qu'une couleur plus chère a été nommée, il faut le faire à un niveau (ou palier) plus haut.

Après l'annonce de 1 Sans-Atout, le contrat le plus cher sur l'échelle des valeurs, il faut parler au niveau de 2 si on veut annoncer autre chose.

Après l'annonce de 1 ♠, on peut annoncer 1 Sans-Atout, mais il faut dire 2 pour les autres couleurs.

Après l'annonce de 1 ♥, on peut annoncer 1 ♠ ou 1 Sans-Atout, mais il faut dire 2 pour les ♦ et les ♣.

Après l'annonce de 1 ♦, on peut annoncer 1 ♥, 1 ♠ ou 1 Sans-Atout, mais pour annoncer ♣, il faut dire 2 ♣.

Après l'annonce de 1 ♣, on peut annoncer 1 ♦, 1 ♥, 1 ♠ ou 1 Sans-Atout.

■ Le but des enchères

Le bridge est un jeu d'équipe, il est donc très important de renseigner le partenaire sur le contenu de sa main, et ce d'autant plus que pour réussir un contrat, il sera nécessaire de combiner les forces des 2 mains. La transmission d'informations se fait par le biais des enchères.

Le but des enchères est donc de trouver le contrat qui permettra de gagner le plus de levées possible et le plus de points.

■ La fin des enchères

Les enchères prennent fin dès que 3 joueurs consécutifs ont passé, après une enchère, un contre ou un surcontre.

Le contrat se joue soit dans la dernière couleur mentionnée soit à Sans-Atout si le Sans-Atout a été annoncé en dernier lieu.

C'est celui de l'équipe déclarante qui, le premier, a nommé la couleur d'atout ou annoncé le Sans-Atout qui joue le contrat.

■ Le Kibitzer

Un Kibitzer est un spectateur qui s'intéresse à la partie sans y participer ; il doit rester silencieux et impassible afin de ne rien dévoiler des jeux qu'il a l'avantage de voir.

Autrefois, un Kibitzer, en plus d'être spectateur, commentait les enchères et le jeu des quatre joueurs à la fin de la partie, dans le but d'améliorer leur technique. C'était en quelque sorte un tuteur.

■ Le carnet de pointage (bridge contrat)

Un bon joueur de bridge sait obligatoirement marquer les points. Il est inconcevable qu'on puisse faire une partie intéressante sans connaître la méthode de calcul des points.

Au premier abord, la marque semble bien compliquée. Pourtant, il suffit de comprendre le «Tableau de la marque des points» pour qu'elle devienne très simple. Il n'est pas nécessaire de connaître ce tableau par cœur puisqu'il figure au dos de chaque carnet de pointage. Il faut uniquement savoir ce qui donne droit à des points et, au besoin, en chercher la valeur sur le tableau.

NOUS	VOUS
100	500
30	50
30	
70	
90	120
	100
320	770

Fin d'une partie en 3 manches
gagnée par les adversaires

■ Chaque page du «carnet de pointage» est divisée en son milieu par 2 lignes, l'une verticale et l'autre horizontale.

■ La ligne horizontale sépare les points de «bas de ligne» des points de «haut de ligne».

■ La ligne verticale sépare les points des deux équipes. Le marqueur inscrit les points de son équipe dans la colonne de gauche, intitulée NOUS, et ceux des adversaires dans la colonne de droite, intitulée VOUS.

■ Les points de «primes», d'«honneurs» et de «pénalité» se notent en haut de la ligne horizontale du côté des méritants. On les appelle «points de haut de ligne».

■ Les points des contrats annoncés et réalisés sont inscrits en bas de la ligne, du côté des déclarants. On les appelle «points de bas de ligne». Ils sont les seuls à compter pour le calcul de la manche.

TABLEAU DE LA MARQUE DES POINTS (BRIDGE CONTRAT)

		Non contré	Contré	Sur-contré
VALEUR DES LEVÉES (annoncées)				
Sans-Atout :	Première levée	40	80	160
	Chacune des suivantes	30	60	120
♠ et ♥ :	Chaque levée	30	60	120
♦ et ♣ :	Chaque levée	20	40	80
PRIMES pour : LEVÉES SUPPLÉMENTAIRES				
Non vulnérable :	Chaque levée	La valeur	100	200
Vulnérable :	Chaque levée	de la levée	200	400
PRIME pour : CONTRAT RÉUSSI		0	50	100
PÉNALITÉS pour : LEVÉES DE CHUTE				
Non vulnérable :	Première levée	50	100	200
	2 et 3	50	200	400
	4 et suivantes	50	300	600
Vulnérable :	Première levée	100	200	400
	Chacune des suivantes	100	300	600
PRIMES pour : PETIT CHELEM				
	Non vulnérable	500	—	—
	Vulnérable	750	—	—
GRAND CHELEM				
	Non vulnérable	1000	—	—
	Vulnérable	1500	—	—
PRIMES pour : ROBRE				
	En deux manches	700	—	—
	En trois manches	500	—	—
PRIMES pour : HONNEURS				
À l'atout :	4 dans la même main	100	—	—
	5 dans la même main	150	—	—
Au Sans-Atout :	4 As dans la même main	150	—	—

N.B. Seuls les points des contrats déclarés et réussis sont inscrits en bas de la ligne. Tous les autres points sont inscrits en haut de la ligne.

Chapitre 2

Le calcul de la valeur des mains

■ Comment évaluer une main de bridge

Pour calculer la valeur d'une main, on compte d'abord les points d'honneurs contenus dans sa main.

Points d'honneurs (Points H) Francs points		Levées d'honneurs	
As (A)	= 4 points	As	= 1 levée
Roi (R ou K)	= 3 points	As-Roi	= 2 levées
Dame (D ou Q)	= 2 points	As-Dame	= 1 1/2 levée
Valet (V)	= 1 point	Roi-Dame	= 1 levée
Total	= 10 points	Roi-x	= 1/2 levée

Il y a 40 francs points (ou points d'honneurs, plus simplement appelés «points H»), dans les 52 cartes au jeu de bridge.

Chacune des 4 couleurs contient 10 francs points (points H).

Pour les contrats en Sans-Atout, seuls ces points doivent être comptés.

Pour les contrats à la couleur, on ajoutera à ces points les points de distribution (points D).

Par « distribution », on entend la « répartition des couleurs ». Une main dont les couleurs sont réparties 4-3-3-3 est communément appelée « main régulière » ou carrée. Toute autre répartition des couleurs implique au moins une « chicane » (aucune carte dans une couleur), un « singleton » (une seule carte dans une couleur), un « doubleton » (seulement 2 cartes dans une couleur).

Une main de distribution prend de la valeur sur les contrats à la couleur parce qu'on peut, avec ses cartes d'atout, couper les bonnes levées des adversaires lorsqu'on a des courtes, c'est-à-dire peu de cartes perdantes dans les couleurs autres que l'atout.

On évalue les points de distribution d'une main d'ouverture d'une façon, et ceux d'une main de réponse, d'une autre. Cela tient au fait qu'en réponse, une main comportant une chicane, un singleton ou un doubleton a plus de valeur, du moment qu'elle contient aussi un bon soutien d'atout dans la couleur du partenaire afin de couper les perdantes de la main de l'ouvreur et vice versa.

POINTS DE DISTRIBUTION (Points D)

	Main d'ouverture	Main de réponse*
CHICANE	3 points	5 points
(0 carte dans une couleur)		
SINGLETON (1 seule carte)	2 points	3 points
DOUBLETON (2 cartes)	1 point	1 point

*Avec bon soutien dans la couleur annoncée par son partenaire

La réévaluation au cours des enchères

Une main de bridge prend ou perd de la valeur au cours des enchères.

Une main d'ouverture sans As perd 1 point de valeur.

Une main contenant 4 As prend 1 point de valeur.

Quand les cartes d'honneur ne sont pas protégées, elles perdent de la valeur. Pour être protégé,

un Roi doit être à 2 cartes ;
une Dame doit être à 3 cartes ;
un Valet doit être à 4 cartes.

On comprend qu'un Roi singleton peut tomber sous l'As des adversaires, qu'une Dame doubleton peut tomber sur l'As-Roi et ainsi de suite. On ne donnera à ces honneurs non protégés que la valeur relative à la distribution.

Une main régulière 4-3-3-3 perd 1 point sur les contrats en couleur, (on ne pourra pas couper les perdantes du partenaire).

Quand un joueur s'aperçoit que son équipe possède plus de 8 cartes d'atout grâce à la réunion des deux mains, il doit ajouter 1 point à son total pour la neuvième carte d'atout et 2 points pour chacune des suivantes.

Sitôt que le déclarant soutient la couleur du répondant avec l'intention de jouer le contrat dans cette couleur, sa main devient une main de réponse et il doit l'évaluer comme telle. De son côté, le répondant devient le déclarant et doit réévaluer sa main en tant que déclarant.

Les points requis pour annoncer une manche

Pour qu'une équipe puisse annoncer une manche, il faut généralement que les 2 mains combinées totalisent :

26 points H pour réussir une manche à Sans-Atout ;

26 points HD pour réussir une manche à ♠ ou ♥ ;

29 points HD pour réussir une manche à ♦ ou ♣ ;

33 points HD pour réussir un petit chelem à la couleur ;

37 points HD pour réussir un grand chelem à la couleur ;

Il faut des francs points pour les contrats à Sans-Atout.

Selon la distribution et l'accord des mains, on pourra parfois réussir des contrats de manche et de chelem avec moins de points.

■ Le choix des contrats

On évitera les contrats en mineures (♦ et ♣), car ils demandent plus de levées pour faire la manche et donnent moins de points.

On prendra certains risques pour jouer ces contrats plutôt à Sans-Atout ou en majeures (♠ ou ♥). Mais dans certains cas, ce sera impossible.

Pour les contrats en couleur il faut normalement 8 cartes d'atout dans les 2 mains combinées des partenaires, mais un bon joueur pourra parfois réussir son contrat avec seulement 7 cartes (à déconseiller).

■ Les divers types d'enchère

Le but des enchères est de renseigner le partenaire, afin d'arriver au meilleur contrat. Aussi, selon la forme et la valeur de la main, l'enchère pourra-t-elle être :

ÉCONOMIQUE	Annonce qui donne le maximum de renseignements sur la main tout en restant à un bas niveau.
LIMITÉE	Annonce qui donne à quelques points près la valeur de la main.

D'INVITATION	Annonce qui invite le partenaire, sans le forcer, à se rendre à la manche ou au chelem.
DE COURTOISIE	Annonce qui indique au partenaire une préférence sur le choix des couleurs annoncées.
IMPÉRATIVE	Annonce qui force le partenaire à garder l'enchère ouverte.
FINALE	*Shut out,* c'est-à-dire annonce qui demande au partenaire de se taire.
DE BARRAGE	Intervention pour nuire aux déclarations des adversaires.
DÉFENSIVE	Annonce faite après l'ouverture par les adversaires.
LIBRE	Annonce que rien ne nous oblige à faire.
CONVENTIONNELLE	Annonce artificielle, pour explorer la main du partenaire.
NÉGATIVE	Annonce artificielle, en réponse à une enchère conventionnelle, pour nier certaines valeurs.
DE RELAIS	Annonce intermédiaire précédant une autre annonce plus significative.
SACRIFICE	Annonce osée pour enlever le contrat aux adversaires.
PSYCHIQUE	Annonce fausse pour tromper l'adversaire.

Tous ces genres d'enchères demandant une bonne connaissance du système pour être interprétées correctement.

Chapitre 3

Les systèmes d'enchères et les conventions

■ Les systèmes d'enchères

Au bridge, un système est un moyen de communication établi sur une base connue des participants et selon lequel, en annonçant d'une certaine façon, on promet à la fois un nombre minimum de cartes dans les couleurs déclarées et un nombre approximatif de points.

Les systèmes d'enchères concernent : les couleurs, l'ouverture des enchères, les réponses, les redemandes et les enchères défensives (chapitres 4 à 11 inclusivement).

Ce qui différencie les systèmes, c'est le sens préalablement donné aux annonces.

La plus récente encyclopédie officielle, celle de l'American Contract Bridge League (ACBL), décrit plus de 30 systèmes. Mais rassurez-vous, il suffit d'en bien connaître un seul pour savoir jouer au bridge !

■ Mais quel système choisir ?

C'est à partir d'un système donné qu'on pourra éventuellement élargir ses connaissances. Les systèmes d'enchères parfaits n'existent pas. Les conventions sont faites pour les améliorer en permettant aux partenaires de mieux explorer les valeurs de leurs mains.

Déjà, le bridge sur Internet englobe tous les bridgeurs internautes de la planète. Il a donc fallu trouver un point d'entente universel afin de permettre un dialogue intelligible entre les joueurs de toutes les nationalités. C'est le système Standard d'Amérique enrichi de conventions qui a été choisi. C'est à quelques nuances près le même système que j'ai privilégié dans mes ouvrages précédents.

Sauf l'usage du « ♣ Impératif » et une légère marge de points sur les contrats en Sans-Atout, rien n'est changé. Ils ont opté pour l'ouverture de la meilleure mineure et je me conforme à leur choix de même que pour la norme des points Mais personnellement je ne renonce pas à la convention du ♣ Impératif que je préfère à l'ouverture de la meilleure mineure. Les adeptes de cette convention trouveront les règles qui la concernent au chapitre 14.

Remarquez que tous les systèmes et conventions sont permis sur Internet à condition d'alerter les adversaires de tout ce qui n'est pas conforme au système Standard d'Amérique.

Pour « alerter », le partenaire de celui qui fait une enchère conventionnelle dira « ALERTE » dès que son partenaire aura fait son enchère conventionnelle et ceci, avant son tour de parole.

Dans le manuel de l'ACBL intitulé *Instructions for Duplicate Club Operators,* il est précisé que tout système et toute convention peuvent se jouer dans ses clubs affiliés, à condition d'être approuvés par le directeur du club ; cela, dans le but d'éprouver les nouvelles méthodes susceptibles d'améliorer le jeu. Cependant, au niveau des grandes compétitions régionales, nationales et internationales, certains systèmes, ainsi que plusieurs conventions, sont interdits. Le système Standard d'Amérique est permis partout. Dans la perspective d'un renouvellement, tous les systèmes sont bons, du moment que les partenaires jouent selon le même système et le comprennent bien.

■ Les conventions ou enchères artificielles

Une convention est une enchère artificielle, spécifique, qui sert à explorer les valeurs contenues dans la main du partenaire.

Contrairement à l'enchère naturelle, l'enchère artificielle ne promet pas de cartes dans la couleur annoncée.

C'est pourquoi une enchère conventionnelle, ou artificielle, est toujours impérative, ce qui veut dire qu'elle force le partenaire à annoncer, même quand il devrait normalement passer. Le principe est de garder les enchères ouvertes, afin de laisser à l'ouvreur la possibilité de préciser la valeur et la nature de sa main au tour suivant.

Si l'adversaire placé après l'ouvreur qui a fait une enchère conventionnelle entre dans la compétition par une annonce, le partenaire de l'ouvreur n'est plus obligé de parler s'il n'a pas les valeurs nécessaires puisque les enchères restent ouvertes.

Les conventions sont des petits trucs qui peuvent s'ajouter à n'importe quel système.

Il existe plus de conventions que de systèmes de bridge. Par conséquent, vouloir les jouer toutes serait folie. Cependant, certaines sont indispensables. (Voir chapitre 14.)

Chaque fois que l'on joue avec un nouveau partenaire, on doit décider avec lui, avant de commencer la partie, selon quelles conventions on jouera et s'en tenir à cette décision.

Les équipes adverses doivent s'informer mutuellement du système et des conventions qu'elles suivront.

Chapitre 4

Les couleurs

■ **Les couleurs annonçables par l'ouvreur (les majeures à 5 cartes)**

Pour ouvrir d'une couleur majeure (♠ ou ♥), le joueur doit avoir en main, outre un minimum de 13 points, au moins 5 cartes de cette couleur, même sans honneur.

Pour ouvrir 1 ♦, il faut au moins 4 cartes de cette couleur.

Pour ouvrir 1 ♣, il faut au moins 3 cartes de cette couleur.

■ **Le choix de la couleur d'ouverture**

Quand une main d'ouverture ne contient qu'une seule couleur annonçable, on ouvre naturellement par cette couleur. Avec 2 couleurs annonçables d'égale longueur, on ouvre de la plus chère, dans l'ordre des couleurs, et non de la plus belle, quant à la valeur des cartes.

Pourquoi annoncer la plus chère des 2 couleurs annonçables? C'est pour permettre au répondant de faire un choix au même niveau à son deuxième tour d'enchère.

Exemple: Avec 5 cartes ♠ et 5 cartes ♥, on annonce ♠ d'abord, même si la couleur ♥ contient plus de points d'honneur et ♥ au tour suivant.

Le répondant a ainsi le choix entre passer sur 2 ♥ s'il préfère cette couleur ou signaler sa préférence pour le ♠ tout en restant au niveau de 2 (enchère de courtoisie).

Voici ce qui arriverait si le déclarant ouvrait d'abord de 1 ♥ et déclarait ♠ au tour suivant : le répondant, pour indiquer sa préférence à ♥, devrait le faire au niveau de 3 ; si l'ouvreur et le répondant avaient chacun une main minimum, ils seraient déjà rendus à un niveau trop élevé.

Avec 3 couleurs de 4 cartes, on annonce d'abord la couleur mineure. Si parmi ces 3 couleurs figurent les deux mineures, ♦ et ♣, on ouvre à ♦.

Avec 2 couleurs annonçables d'inégale longueur, dans une main minimum (13-16 points HD), on annonce la plus chère d'abord, même si elle est moins longue, ceci par économie d'enchère. Mais avec une bonne main (17-18 points), on déclare la plus longue d'abord, même si elle est moins chère, et l'autre au tour suivant : c'est ce qui s'appelle faire « l'inverse ».

■ « L'inverse »

Faire « l'inverse », c'est annoncer en premier lieu la moins chère de 2 couleurs annonçables qui se touchent dans l'ordre des couleurs.

Cette façon d'annoncer n'est pas naturelle, parce qu'elle force parfois le répondant à monter à un niveau plus haut pour indiquer son choix.

C'est pourquoi on ne doit faire l'inverse qu'avec une bonne main d'ouverture (au moins 17 points HD) et à condition que la couleur la moins chère, si elle est annoncée en premier, soit plus longue que la plus chère.

Quand l'ouvreur annonce ♥ avant ♠, ou ♣ avant ♦, il fait l'inverse.

Face à une telle annonce, le répondant devra donc comprendre que l'ouvreur bénéficie d'une bonne main d'ouverture et de deux belles couleurs dont la moins chère est la plus longue. Par conséquent, il pourra se permettre d'indiquer sa préférence en montant à un niveau plus haut.

■ Les couleurs répétables par l'ouvreur

À son deuxième tour de parole, l'ouvreur peut annoncer une nouvelle couleur de 4 cartes.

Chaque fois que l'ouvreur répète une couleur que son partenaire n'a pas soutenue, il dit posséder dans cette couleur une carte de plus que le nombre déjà indiqué.

Si son partenaire a soutenu la couleur qu'il a annoncée, l'ouvreur peut la répéter lorsque le nombre de points le lui permet. Il n'est en ce cas pas nécessaire qu'il possède une carte supplémentaire.

Pour répéter la couleur ♣, l'ouvreur doit avoir au moins 4 bonnes cartes dans cette couleur. Il le fera dans certaines circonstances, pour permettre à son partenaire de parler éventuellement à Sans-Atout.

■ Les couleurs annonçables par le répondant

En ce qui concerne les couleurs annonçables avec une main de réponse, les exigences ne sont pas les mêmes que précédemment.

Hormis dans des cas bien particuliers, on ne fait pas de réponse dans une nouvelle couleur de 3 cartes.

Lorsque la main du répondant contient 6 points H et plus, toute couleur de 4 cartes, même sans honneur, est annonçable en réponse au niveau de UN.

■ Le choix de la couleur pour répondre

Quand une main de réponse contient 2 majeures de 4 cartes ou plus et d'égale longueur, on doit annoncer la moins chère d'abord (♥). Cela est le contraire de ce que l'on ferait pour une enchère d'ouverture, mais présente l'avantage de permettre à l'ouvreur d'annoncer l'autre majeure (♠) au même niveau, s'il possède 4 cartes ♠.

Avec 5 cartes ♠ et 4 cartes ♥, on annonce ♠ d'abord et ♥ au tour suivant. En ce cas, l'ouvreur doit comprendre que la couleur ♠ est plus longue que la couleur ♥.

Généralement, un contrat à la couleur se joue bien lorsque l'équipe possède au minimum 8 cartes d'atout dans ses deux mains réunies. C'est ce qui s'appelle communément un «fit». Quand ce «fit» n'existe pas, on cherche un «contrat» à Sans-Atout.

Le répondant peut donc soutenir la couleur majeure d'ouverture de son partenaire avec 3 cartes, puisqu'il sait que son coéquipier en a au moins 5.

Quand on répond 1 Sans-Atout sur une ouverture en mineure, en ne saisissant pas l'opportunité d'annoncer une couleur majeure, c'est qu'on ne possède aucune couleur majeure de 4 cartes.

Avec 2 suites en mineure d'égale longueur, comme on doit répondre au niveau de 2 à une ouverture en majeure, on indique la moins chère d'abord pour permettre à l'ouvreur d'annoncer l'autre mineure au même niveau s'il possède 4 cartes dans cette couleur.

■ Les couleurs répétables par le répondant

Lorsque le répondant donne une nouvelle couleur, il promet 4 cartes dans cette couleur. Chaque fois qu'il répète sa couleur, si le partenaire ne l'a pas soutenu, il dit posséder une carte de plus, tout comme l'ouvreur.

Dans certains cas particuliers, pour permettre à l'ouvreur d'annoncer éventuellement un contrat à Sans-Atout, le répondant, lors de sa deuxième enchère, annoncera une couleur de 3 cartes comprenant soit l'As avec un autre honneur soit Roi-Dame avec une autre carte. Il le fera quand il ne trouvera pas de «fit» à la couleur et qu'il aura une main de réponse d'environ 11-12 points H.

Quand on ouvre à 1 ♠ ou à 1 ♥, avec une main minimum et seulement 5 cartes de la couleur annoncée, on ne doit pas répéter cette couleur si le partenaire ne l'a pas soutenue.

Mais comme l'ouvreur est forcé de reparler chaque fois que son partenaire lui donne une nouvelle couleur, il peut : soit annoncer une nouvelle couleur de 4 cartes moins chère que sa première couleur, soit soutenir la couleur d'atout de son coéquipier s'il possède au moins 4 cartes dans cette couleur (le répondant ne promettant que 4 cartes lorsqu'il annonce une nouvelle couleur) ; soit parler à Sans-Atout.

Le bridge est un jeu d'équipe. Il faut par conséquent être attentif à ce que dit le partenaire et annoncer de façon à ne pas se mettre dans l'embarras.

Tout est logique dans le bridge. Il suffit de respecter les règles du jeu pour arriver au contrat le plus adéquat.

Les apprentis bridgeurs ont souvent tendance à confondre les lois qui s'appliquent aux mains d'ouverture avec celles qui s'appliquent aux mains de réponse. Aussi est-il important de bien identifier sa main avant d'appliquer les principes inhérents au système d'enchères choisi.

De la multiplicité des distributions possibles résulte le fait que la même donne ne se représente à peu près jamais. Cependant, les mêmes types de main se retrouvent souvent. C'est ce qui permet l'application d'un système.

Le bridge demeure néanmoins un jeu. Et comme dans tout jeu le hasard joue un rôle, il ne faut pas s'étonner qu'à l'occasion, malgré toute la science du joueur, un contrat se solde par un échec. Il reste toutefois que plus les équipes respectent les règles d'un système donné, moins les échecs sont nombreux.

Pour ces raisons et bien d'autres, le bridge n'est jamais monotone.

Pour terminer, je préciserai qu'il faut savoir passer quand on a tout révélé de sa main et que rien ne nous oblige plus à parler.

Chapitre 5

L'ouverture des enchères

■ L'ouvreur

L'ouvreur, c'est celui des 4 joueurs qui fait la première enchère.

Si les 40 points contenus dans les 52 cartes étaient également partagés entre les 4 joueurs, chacun aurait 10 points ; ce partage rendrait difficile la réussite d'un contrat.

Par conséquent, lorsqu'un joueur ouvre les enchères, il dit avoir plus de points que sa part normale.

■ Comment ouvrir les enchères

Selon la distribution et les points contenus dans la main, on ouvrira les enchères par 1, 2 ou 3 d'une couleur annonçable ou à Sans-Atout, rarement par 4 ou plus.

Chacune de ces enchères aura un sens particulier et donnera au partenaire une idée du contenu de la main.

■ Pour ouvrir les enchères à UN d'une couleur (13 à environ 20 points)

En principe, avec moins de 13 points on ne peut ouvrir : on doit PASSER.

Avec 13 points HD, c'est-à-dire en comptant aussi les points de distribution, on PEUT ouvrir à 1 d'une couleur, à condition d'avoir une redemande (deuxième enchère) convenable. Il faut un plus grand nombre de points pour ouvrir à Sans-Atout, on verra ça plus loin.

Avec 14 points HD, on DOIT ouvrir à 1 d'une couleur.

Celui qui ouvre les enchères en première ou en deuxième position s'engage à reparler chaque fois que son partenaire lui aura répondu dans une nouvelle couleur, sauf s'il a ouvert à Sans-Atout, dont on parlera plus loin.

On verra encore plus loin les ouvertures de 3e et 4e positions qui ne sont pas soumises aux mêmes règles et qui sont surtout valables pour les jeux duplicata de compétition et aussi pour jouer sur Internet. Pour l'instant, voici comment on peut évaluer les mains d'ouverture et les mains de réponses pour les contrats en couleur (♠, ♥, ♦ et ♣).

VALEUR DES MAINS

MAINS D'OUVERTURE	MAINS DE RÉPONSES	
13 – 16 points HD	MINIMUM	6 - 11 points HD
17 – 21 points HD	MÉDIUM	12 - 18 points HD
22 – + points HD	MAXIMUM	19 - + points HD

(Pour les contrats en Sans-Atout on ne calculera que les points d'honneurs, points H.)

Lorsqu'on ouvre les enchères par 1 d'une couleur, on promet un minimum de 13 à environ 20 points HD.

Si on ouvre d'une couleur majeure (♠ ou ♥), on promet un minimum de 5 cartes.

Si on ouvre d'une couleur mineure (♦ ou ♣), on dit ne pas avoir de couleur majeure à 5 cartes et avec 4 cartes de ♦ et 4 cartes de ♣, on ouvre de la plus chère donc un ♦ ce qui promet un minimum de 4 cartes.

C'est lorsque la main ne contient pas 5 cartes d'une couleur majeure ni 4 cartes de ♦ qu'on ouvre par 1 ♣ et on ne promet que 3 cartes.

Exceptionnellement on ouvrira un ♦ avec seulement 3 bonnes cartes (R-D-x par exemple) lorsque la main ne contiendra pas 3 cartes de ♣, EXEMPLE avec une distribution 4-4-3-2. Ceci, parce que les contrats en mineurs sont négligeables. Ils demandent plus de levées pour la manche et donnent moins de points.

Quelle serait votre enchère d'ouverture avec chacune des mains suivantes?

1. ♠ A V 8 3   ♥ A D 6 4   ♦ 9 8   ♣ R 8 7

(14-15 ponts HD)

Ouvrez à 1 ♣. L'ouverture des enchères par 1 ♣ promet un minimum de 13 points HD, mais ne promet pas plus de 3 cartes dans cette couleur. Elle décrit une main n'offrant aucune autre annonce convenable et ne contenant aucune couleur majeure de 5 cartes.

2. ♠ R D 7 5   ♥ R V 8 3   ♦ R D V 6   ♣ 7

(15-17 points HD)

Ouvrez à 1 ♦. L'enchère de 1 ♦ signale une main d'ouverture contenant au moins 4 cartes ♦ et aucune couleur majeure de 5 cartes avec un minimum de 13 points HD.

3. ♠ R 9 8   ♥ A V 8 3   ♦ R V 8 4   ♣ D 4

(14 points H)

Ouvrez à 1 ♦ pour les mêmes raisons qu'avec la main précédente.

4. ♠ R D 9 5 3   ♥ R D V 8 3   ♦ A 4   ♣ 6

(15-18 points HD)

Ouvrez à 1 ♣. Avec 2 couleurs annonçables d'égale longueur, on doit annoncer la plus chère d'abord.

5. ♠ R D 8 6 4 ♥ R 8 ♦ D 6 3 ♣ A 8 7
   (14-15 points HD)

Ouvrez à 1 ♠, la seule couleur d'ouverture annonçable.

6. ♠ 5 ♥ R D V 7 5 4 ♦ R D 6 ♣ A D 2
   (17-19 points HD)

Ouvrez à 1 ♥. Si votre partenaire a 7 – 8 points et un « fit », une manche sera possible.

7. ♠ A R V 8 6 ♥ A V 8 6 4 3 ♦ R 3 ♣
   (16-20 points HD)

Ouvrez à 1 ♥ et vous annoncerez ♠ au tour suivant, ce qui constitue un inverse et promet 6 cartes de ♥ et 5 cartes de ♠ dans une bonne main de 17 points et plus.

8. ♠ A R 9 8 2 ♥ A 8 7 6 4 2 ♦ 4 ♣ 4
   (11-15 points HD)

Ouvrez à 1 ♠. Cette main de 15 points n'est pas assez forte pour que vous fassiez l'inverse en annonçant ♥, la plus longue des 2 couleurs annonçables.

9. ♠ A R 9 8 2   ♥ A R 7 6 5 3   ♦ 7   ♣ 2
   (14-18 points HD)

Ouvrez à 1 ♥. Avec une main de 17 points ou plus, on fait l'inverse quand la couleur la moins chère est plus longue que la plus chère.

10. ♠ 9 2   ♥ 7 3   ♦ A D 9 8   ♣ A D 8 4 3
    (12-14 points HD)

Ouvrez à 1 ♦. Même si la couleur ♣ y est plus longue, cette main de 14 points doit s'ouvrir par 1 ♦, la plus chère des 2 couleurs annonçables. Si on l'ouvrait par 1 ♣ pour annoncer ♦ au tour suivant, on ferait l'inverse, or cette main n'est pas assez forte pour permettre ce genre d'enchère.

11. ♠ A 10 8 6 3   ♥ A D 9 7 5 4   ♦ 9   ♣ 6
    (10-14 points HD)

On ouvre cette main par 1 ♠ et on annonce ♥ au tour suivant. On répétera ♥ 2 fois si l'enchère le permet. Cette main n'est pas assez forte pour que l'on puisse faire l'inverse.

12. ♠ 7 3   ♥   ♦ A V 9 8 4   ♣ A D 9 8 6 4
    (11-15 points HD)

On ouvre cette main par 1 ♦ et on annonce ♣ au tour suivant ; on ne fait pas l'inverse avec une main d'ouverture à valeur minimum.

13. ♠ R 7   ♥ R D 8 6 4   ♦ A 6 2   ♣ V 4 3
    (13-14 ponts HD)

Ouvrez à 1 ♥, la seule couleur d'ouverture annonçable.

14. ♠ 5   ♥ D 9 8 4 3   ♦ A R D 8 7   ♣ 8 6
    (11-14 points HD)

Ouvrez à 1 ♥, la plus chère des 2 couleurs annonçables, et vous avez une bonne redemande à ♦.

15. ♠ R V 8   ♥ 8 6 4   ♦ R D 6   ♣ R V 6 3
    (13 points H)

Passez. Cette main de 13 points perd 1 point parce qu'elle ne contient aucun As et ne permettra aucune redemande convenable.

Chapitre 6

Les réponses

■ Le répondant

Le répondant, c'est le partenaire de l'ouvreur. Par sa réponse, il va à son tour indiquer les valeurs de sa main.

Dans le dialogue entre l'ouvreur et le répondant, deux choses sont importantes. Premièrement, trouver le fit à la couleur, ou le fit à Sans-Atout s'il existe, afin d'être dans le bon contrat ; deuxièmement, donner ses points, afin de savoir si les valeurs combinées peuvent procurer une manche, un chelem ou seulement une partie de manche.

Le calcul des points et la réponse à une enchère d'ouverture dépendent de la nature de cette enchère.

Avec moins de 6 points H, le répondant doit passer à son 1er tour de parole.

Avec 6 points H, le répondant doit parler soit pour annoncer au niveau de 1 une couleur contenant au moins 4 cartes, soit avec un bon soutien d'atout en majeure (3 cartes), pour soutenir à 2 la couleur de son partenaire ou dire 1 Sans-Atout. Cela revient à dire qu'avec 6 points H, le répondant peut nommer une nouvelle couleur annonçable au niveau de 1.

Le répondant ne s'engage pas à reparler quand il répond au niveau de 1 ou soutient au niveau 2 la couleur de son partenaire, il ne promet que 6 points H et un soutien d'atout ou 6 points H et une nouvelle *couleur* de 4 cartes.

Le répondant annoncera la moins chère de ses couleurs annonçables d'égale longueur en premier.

Il est important, avec des mains de peu de valeur, de trouver le meilleur contrat avant d'outrepasser ses forces. Lorsque le répondant annonce 1 Sans-Atout ou donne un simple soutien d'atout, il fait une enchère limitée de 6 à 10 points HD (main de réponse minimum).

Cependant, le répondant force l'ouvreur à reparler chaque fois qu'il nomme une nouvelle couleur.

Pour annoncer progressivement une nouvelle couleur au niveau de 2, le répondant doit avoir un minimum de 10 points H. En ce cas, il s'engage à reparler chaque fois que son partenaire change de couleur.

Avec certaines valeurs, il faudra parfois annoncer à «simple saut», à «double saut» ou à «saut à changement» tout comme l'ouvreur. Mais il y a des conditions qu'on verra plus loin.

Annoncer à *simple saut,* c'est sauter 1 niveau d'enchère.

Annoncer à *double saut,* c'est sauter 2 niveaux d'enchère.

Faire un *saut à changement,* c'est sauter 1 niveau d'enchère dans une nouvelle couleur. Cela nécessite un minimum de 19 points H. Exemple : le partenaire ouvre 1 ♥, le répondant saute à 2 ♠. Il manifeste son ambition d'atteindre un chelem et sous-entend qu'il a un «fit» à ♥ ou une très belle couleur à ♠ d'au moins 5 cartes.

Avec une *main* (11 à 12 points H), le répondant doit annoncer de façon à pouvoir parler 2 fois. Il pourra le faire en nommant une nouvelle couleur avant de soutenir la couleur annoncée par son partenaire ou avant de parler à Sans-Atout (Annonce de relais).

Avec une *bonne main* (13 à 15 points), le répondant doit annoncer de façon à se rendre à la manche. Une main d'ouverture située en face d'une main d'ouverture doit procurer une manche (13 + 13 = 26).

Avec une *main* de 19 points ou plus, le répondant doit penser au chelem (19 + 14 = 33).

Avant de répondre à saut pour donner la valeur de sa main, le répondant devra trouver le fit à la couleur ou à Sans-Atout.

Le répondant peut avoir de 6 à 18 points quand il nomme une nouvelle couleur au niveau de 1. C'est pourquoi il force l'ouvreur à reparler chaque fois qu'il nomme une nouvelle couleur.

■ Les réponses à l'ouverture de UN à la couleur

Avec 0 à 5 points   Passez.

De 6 à 10 points HD (Main minimum) :

a) Soutenez une couleur majeure avec un minimum de 3 cartes.

b) Annoncez une couleur majeure d'au moins 4 cartes au niveau de UN.

c) Sur 1 ♣, dites 1 ♦ avec 4 cartes.

d) Avec les deux majeures à 4 cartes, annoncez ♥ avant ♠.

e) Annoncez 1 Sans-Atout avec un minimum de 6 points H quand vous ne pouvez pas soutenir une majeure ou annoncer une couleur au niveau de 1.

f) Spécial… Avec 4 cartes d'atout ou plus en soutien d'une majeure, un singleton ou une chicane et un maximum de 10 points HD, sautez à la manche. Mais attention ! ces 3 conditions doivent être remplies. C'est un « Shut out bid ».

De 11 à 12 points H :

a) Donnez une nouvelle couleur. La main est trop forte pour un simple soutien d'atout qui ne forcerait pas l'ouvreur à reparler et trop forte pour annoncer 1 Sans-Atout. Avec une bonne main de réponse, on doit parler 2 fois, mais cette main n'est pas assez forte pour qu'on fasse un saut.

b) Exceptionnellement, avec 11-12 points et un bon soutien d'atout, il faudra annoncer une couleur à 3 cartes pour donner ses points avant de donner le soutien d'atout (Enchère de relais).

c) Donnez une couleur majeure à 4 cartes ou plus chaque fois que vous en avez la possibilité au niveau de 1. Pour donner une majeure au niveau de 2, il faut au répondant 5 cartes.

De 13 à 15 points HD (Bonne main) :

a) Avec un bon soutien d'atout en majeure (au moins 3 cartes), sautez à 3 dans la couleur du partenaire (Impératif à la manche).

b) Quand vous n'avez pas le soutien d'atout en ♥, annoncez l'autre majeure avec 4 cartes ou plus, au niveau de 1, sans sauter. Toutefois, pour dire 2 ♥ sur 1 ♠, il faut 5 cartes ♥. La redemande normale de l'ouvreur qui a ouvert 1 ♠ est 2 ♥ s'il a 5 cartes de ♠ et 4 de ♥. Vous ne pouvez donc pas manquer de vous trouver en ♥.

c) Quand vous ne pouvez ni soutenir la majeure de votre partenaire ni annoncer l'autre majeure, sautez à 2 Sans-Atout si la distribution de votre main vous le permet (Impératif à la manche).

d) Quand les options précédentes ne correspondent pas au jeu, répondez dans une mineure.

Sur 1 ♣ :

1. Avec au moins 5 cartes ♣, sautez à 3 ♣ (Impératif).
2. Avec au moins 4 cartes ♦, dites 1 ♦ (Impératif).
3. Avec des arrêts à ♣, sautez à 2 Sans-Atout (Impératif).

Sur 1 ♦ :

1. Avec la suite ♦ (au moins 4 cartes), sautez à 3 ♦ (Impératif).
2. Avec la suite ♣ (au moins 4 cartes), dites 2 ♣ sans sauter (Impératif).

On ne fera ces 4 dernières annonces qu'en dernier recours.

De 15 à 18 points HD (Très bonne main):

a) Même si vous avez un bon soutien d'atout dans la couleur majeure de votre partenaire, annoncez une autre couleur, avant de donner un soutien à saut. Cette main est trop forte pour que vous fassiez un simple saut.

b) Si vous ne pouvez ni annoncer une majeure de 4 cartes au niveau de 1 ni soutenir la majeure de votre partenaire, sautez à 3 Sans-Atout. Pour faire cette enchère, il faut que vous contrôliez les 3 autres couleurs et que vous ayez au minimum 15 points H.

De 19 points H et plus:

a) Faites un saut dans une nouvelle couleur (saut à changement). Cette enchère invite au chelem. Pour faire un saut à changement, il vous faut une bonne couleur d'atout ou un bon soutien dans la couleur de votre partenaire. Afin de donner vos points, il faudra parfois que vous sautiez dans une couleur de 3 cartes.

b) Quand vous n'aurez ni une belle couleur ni le soutien dans celle de votre partenaire, vous temporiserez en annonçant sans sauter, mais en changeant de couleur à chaque annonce pour forcer votre partenaire à détailler sa main. Si cela vous amenait à trouver un «fit», vous devriez procéder à la demande d'As «Blackwood». (Voir Convention Blackwood au chapitre des conventions.)

c) Lorsque vous ne découvrirez pas de «fit», vous vous bornerez à annoncer la manche en Sans-Atout. Votre partenaire peut n'avoir que 10 points H. Il arrive qu'avec les points pour un chelem on ne puisse pas le réaliser lorsqu'il y a misfit (mains qui ne s'accordent pas) donc manque de communication d'une main à l'autre. Il faut se méfier dans ce cas et se borner à n'annoncer qu'une manche.

■ Considérations sur les déclarations

Avant de parler des redemandes, considérons un peu les faits.

Celui qui répond 1 Sans-Atout à une ouverture en mineure nie posséder 4 cartes ou plus d'une couleur majeure. Face à cette réponse, l'ouvreur, avec une main à valeur minimum, serait imprudent d'annoncer une majeure de 4 cartes au niveau de 2, sachant que son partenaire, par son enchère, a signalé qu'il n'avait pas 4 cartes en majeure. Il n'y aurait, en effet, pas le fit de 8 cartes nécessaire pour jouer confortablement ce contrat. L'ouvreur ferait donc mieux de passer s'il n'a que 13-15 points.

Par ailleurs, celui qui répond dans une majeure ne promet que 4 cartes dans sa propre couleur. Pour le soutenir, il faut donc que l'ouvreur ait lui aussi 4 cartes dans cette couleur, car ce faisant, il promet un fit de 8 cartes.

Celui qui répond au niveau de 1 dans une nouvelle couleur peut n'avoir que 6 points, mais il peut également en avoir beaucoup plus.

Comme on l'a vu dans ce chapitre, le répondant ne peut pas toujours annoncer à saut pour montrer sa force : il doit d'abord voir s'il n'existerait pas un fit afin d'arriver au meilleur contrat possible.

N'oublions pas que les annonces à la couleur prennent parfois de la valeur. Ainsi, lors de la réévaluation au cours des enchères, une main de 18 points au départ peut arriver à prendre 2 points de valeur ou plus.

En outre, même si on doit se limiter à une partie de manche, on doit chercher le meilleur contrat. Souvent, l'ouvreur aura un bicolore (2 longues). Et sa 2e couleur pourrait bien être la plus adéquate. Il faut donc lui donner la chance de l'annoncer.

Parfois cependant, le contrat se jouera mieux dans la couleur du répondant ou à Sans-Atout.

Quand les 40 points sont partagés également (20-20) entre les deux équipes, on se dispute le contrat. Il est alors dangereux d'annoncer au niveau de 3. Ordinairement, c'est l'équipe qui peut déclarer 2 ♠ ou 2 Sans-Atout qui a le plus de chances de réussir.

Lorsque les couleurs sont bien annoncées, il n'y a pas de problème pour reparler. En tenant compte des annonces du partenaire, on sait combien de cartes il possède dans les couleurs qu'il annonce. Il ne faut pas oublier que l'ouvreur et son partenaire forment une équipe et que leur intérêt est le même. Ils doivent mutuellement se sortir d'un mauvais contrat chaque fois qu'ils en ont la possibilité.

Voici un exemple qui illustre ce point.

Votre partenaire ouvre l'enchère par 1 ♦ ; vous n'avez que 6 points avec 4 cartes ♥ et vous répondez 1 ♥. Votre partenaire dit 1 ♠ ; vous avez un doubleton ♠ et vous savez que votre partenaire n'a que 4 cartes ♠ (avec 5 cartes, il aurait fait l'enchère normale d'ouverture de 1 ♠). En réfléchissant un peu, vous vous rendez compte que vos adversaires possèdent 7 cartes ♠ contre 6 dans votre équipe. Vous savez que vous êtes dans un mauvais contrat. Si vous avez 4 cartes de ♦, dites 2 ♦ ; sinon dites 1 Sans-Atout. Ce faisant, vous ne lui promettez pas plus de points, mais vous l'avertissez que vous êtes court à ♠.

Finalement, il vous faudra vous familiariser avec toutes les nuances des annonces, reconnaître une invitation et savoir l'accepter ou la refuser, parler quand votre partenaire aura fait une enchère impérative ou vous taire lorsque vous aurez tout dit de votre main et que rien ne vous obligera plus à parler.

Avec les mains qui suivent, quelle serait votre réponse aux différentes enchères d'ouverture ?

1. ♠ R 7 3
   ♥ D 10 9 6
   ♦ D 3
   ♣ A 6 3 2

VOTRE PARTENAIRE OUVRE :	VOUS RÉPONDEZ :
1 ♣ ou 1 ♦	1 ♥ ; vous promettez un minimum de 6 points et 4 cartes ♥. Vous reparlerez au tour suivant. Il faut montrer plus de 10 points H.
1 ♥ ou 1 ♠	2 ♣ ; avec le fit à ♥ ou à ♠, votre main prend de la valeur. Au tour suivant, vous soutiendrez la couleur d'ouverture.

2. ♠ A 9 5 2
♥ A V 2
♦ 10 9 7 2
♣ R 8

1 ♣

1 ♦ ; vous promettez 4 cartes. Une manche sera possible en Sans-Atout si vous ne trouvez pas de fit en ♠.

1 ♦

1 ♠ ; il vous faut chercher un fit à ♠ (voir si le partenaire a aussi 4 cartes ♠) et cela, avant de montrer la force de votre main. Si la redemande de votre partenaire est 1 Sans-Atout, dites 2 Sans-Atout.

1 ♥ ou 1 ♠

Sautez à 3 de la couleur d'ouverture ; le fit en majeure est manifeste et vous devez montrer la force de votre main (Impératif).

3. ♠ V 10 6
♥ 8 7 4
♦ A R 4
♣ D 9 7 5

1 ♣ ou 1 ♦

1 Sans-Atout ; vous niez posséder une majeure de 4 cartes et dites n'avoir pas plus de 10 points H.

1 ♥ ou 1 ♠

2 de la couleur d'ouverture ; vos 10 points H perdent 1 point à cause de la forme carrée de votre main (sur les contrats en couleur).

4. ♠ 9 5
   ♥ A 9 7
   ♦ R 10 7 3
   ♣ 9 7 5 2

VOTRE PARTENAIRE OUVRE :   VOUS RÉPONDEZ :

1 ♣   1 ♦ ; au tour suivant, vous direz 1 Sans–Atout si votre partenaire dit 1 ♠ ou 1 ♥.

1 ♦   2 ♦ ; vous savez que votre partenaire a 4 cartes ♦.

1 ♥   2 ♥ ; il y a fit et vous avez moins de 10 points.

1 ♠   1 Sans–Atout ; votre partenaire ne vous a promis que 5 cartes ♠.

5. ♠ D V 9 7 2
   ♥ R 10 6 2
   ♦ A V 7
   ♣ 5

VOTRE PARTENAIRE OUVRE :   VOUS RÉPONDEZ :

1 ♣ ou 1 ♦   1 ♠. Au tour suivant vous direz 2 ♥, ce qui promettra finalement 5 cartes ♠ et 4 cartes ♥. L'ouvreur doit parler chaque fois que son partenaire annonce une nouvelle couleur. Remarquez que votre partenaire peut avoir 4 cartes de ♥, mais comme vous avez passé outre cette couleur, il croit qu'il n'y a pas de fit à ♥ ; c'est pourquoi il ne l'annonce pas à sa redemande.

1 ♥ ou 1 ♠	3 de la couleur annoncée ; vous annoncez une main d'ouverture en plus d'un fit dans la couleur de votre partenaire (Impératif à la manche).

6. ♠ A 9 8 5
    ♥ 10 8 6 2
    ♦ D 10
    ♣ V 8 3

VOTRE PARTENAIRE OUVRE : VOUS RÉPONDEZ :

1 ♣ ou 1 ♦	1 ♥ ; en réponse, on donne la moins chère des couleurs annonçables d'égale longueur pour permettre à l'ouvreur d'annoncer ♠ s'il a 4 cartes ♠, au niveau de 1.
1 ♥ ou 1 ♠	2 de la couleur d'ouverture : avec moins de 10 points et un fit, on donne un simple soutien.

Avant de regarder les réponses et l'analyse des mains d'exercices qui suivent, étudiez les mains et décidez ce que vous annonceriez et par la suite ce que votre partenaire dirait. Si vous n'avez pas trouvé les bonnes réponses, relisez les chapitres 5 et 6.

Quelle serait votre enchère d'ouverture ? Quelle serait votre réponse ?

MAIN D'OUVERTURE   MAIN DE RÉPONSE

1. ♠ R V 9   1. ♠ A 6 5 4
    ♥ A D 8 6   ♥ 10 9 5
    ♦ D 7 3   ♦ R 8 5 2
    ♣ D 6 2   ♣ 4 3
    (14 points H)   (7-8 points HD)

Il faut ouvrir cette main de 14 points H pour avertir le partenaire qu'elle contient plus que sa part de points. Mais comme elle ne contient aucune couleur déclarable, il faudra ouvrir de 1 ♣.

Le partenaire doit répondre 1 ♦ ; il promet un minimum de 6 points H et 4 cartes de ♦. Chaque fois que le répondant annonce une nouvelle couleur, il force l'ouvreur à reparler.

L'ouvreur dira 1 ♥. Il ne promet que 4 cartes de ♥ (avec 5 cartes il aurait ouvert 1 ♥ et non 1 ♣).

Le répondant dira 1 ♠ puisqu'il peut annoncer ses 4 cartes de ♠ au niveau de 1.

L'ouvreur dira 1 Sans-Atout car il constate que son équipe n'a pas de fit à 8 cartes d'atout.

Le répondant n'ayant rien d'autre à montrer passera.

L'ouvreur jouera le contrat de 1 Sans-Atout et ils gagneront un début de manche ; 40 points de bas de ligne.

Les enchères

Ouverture	Réponses
1 ♣	1 ♦
1 ♥	1 ♠
1 Sans-Atout	Passe

MAIN D'OUVERTURE

2. ♠ D V 10 6
   ♥ R D V 3
   ♦ A 10 9 4
   ♣ 6
   (13-15 points HD)

MAIN DE RÉPONSE

2. ♠ R 8 4
   ♥ 10 7 6 5
   ♦ R V 6
   ♣ 8 7 5
   (7 points H)

Avec une main 4-4-4-1 on ouvre de la seule couleur annonçable 1 ♦ qui promet un minimum de 13 points et 4 cartes de ♦.

Le répondant dira 1 ♥ ce qui ne promet que 4 cartes dans une main de réponse et un minimum de 6 points H.

L'ouvreur ayant découvert un fit à 8 cartes dira 2 ♥.

Le répondant passera et jouera le contrat puisque c'est lui qui a annoncé la couleur ♥ le premier. S'il réussit son contrat, ils gagneront 60 points de bas de ligne.

Les enchères

Ouverture	Réponses
1 ♦	1 ♥
2 ♥	Passe

MAIN D'OUVERTURE	MAIN DE RÉPONSE
3. ♠ 8	3. ♠ R 7 3
♥ A D 7	♥ V 10 9 8
♦ R V 8 4	♦ 5 3
♣ A 6 4 3 2	♣ R D 8 7
(14-16 points HD)	(9-10 points HD)

Avec 4 cartes de ♦ et 5 cartes de ♣ on ouvre 1 ♦ ; avec moins des 17 points nécessaires pour faire l'inverse.

Le répondant dit 1 ♥.

L'ouvreur annonce 2 ♣ ; il ne peut pas dire 1 Sans-Atout avec son singleton ♠.

Le répondant passe mais si les adversaires entrent dans l'action, le répondant dira 3 ♣.

Les enchères

Ouverture	Réponses
1 ♦	1 ♥
2 ♣	Passe

MAIN D'OUVERTURE	MAIN DE RÉPONSE
4. ♠ R D 7 6 5	4. ♠ A 10 3
♥ A D 6	♥ R 8 7 3
♦ 9 8	♦ D V 6 2
♣ R 7 2	♣ A 6
(14-15 points HD)	(14-15 points HD)

L'ouvreur dit 1 ♠.

Le répondant qui a aussi une main contenant les points nécessaires pour ouvrir les enchères doit le dire à son partenaire en faisant une enchère impérative à la déclaration d'une manche. Si son partenaire avait passé, il aurait ouvert de 1 ♦. Comme il a un fit à ♠, il devra sauter un niveau d'enchère dans la couleur de son partenaire pour montrer 13-15 points HD. Il dit donc 3 ♠. Comme l'ouvreur a une main minimum, il dira 4 ♠ et il jouera le contrat. C'est toujours celui qui a annoncé la couleur du contrat le premier qui le joue.

Les enchères

Ouverture	Réponses
1 ♠	3 ♠
4 ♠	Passe

MAIN D'OUVERTURE

5. ♠ 3
   ♥ R V 7
   ♦ A D 6 3 2
   ♣ R D 7 4
   (15-17 points HD)

MAIN DE RÉPONSE

5. ♠ 9 7 5
   ♥ 10 9 8 5 3 2
   ♦ R 4
   ♣ A 2
   (7-9 points HD)

L'ouvreur dit 1 ♦.

Le répondant dit 1 ♥.

L'ouvreur dit 2 ♣.

Le répondant répète sa couleur pour montrer 5 cartes ; il dit donc 2 ♥, il ne montre pas plus de points en répétant une couleur déjà annoncée.

L'ouvreur réalisant le fit à ♥ invitera son partenaire à la manche en disant 3 ♥. Son partenaire peut n'avoir que 6 points. Ce faisant, il montre une bonne main d'ouverture.

Le répondant aurait passé avec seulement 6 points, mais avec ses 9 points HD il accepte l'invitation et dit 4 ♥.

Les enchères

Ouverture		Réponses	
1	♦	1	♥
2	♣	2	♥
3	♥	4	♥

MAIN D'OUVERTURE

6. ♠ A D 9 6 3
   ♥ R D V 4
   ♦ D 8 2
   ♣ 2
   (14-16 points HD)

MAIN DE RÉPONSE

6. ♠ 10
   ♥ A 5 3 2
   ♦ R 10 7 6
   ♣ R D 4 3
   (12-14 points HD)

Avec 5 cartes de ♠ et 4 cartes de ♥, on ouvre 1 ♠ avec l'intention d'annoncer ♥ au tour suivant. C'est pourquoi le répondant ne devrait pas annoncer 4 cartes de ♥ au niveau de 2. Il lui faudrait un minimum de 5 cartes pour faire cette enchère.

L'ouvreur dit 1 ♠.

Le répondant, avec ses 12-14 points, peut annoncer au niveau de 2 dans une nouvelle couleur. Il dit 2 ♣ et l'ouvreur fait son annonce normale de 2 ♥, il ne promet que 4 cartes pour sa 2e enchère.

Le fit étant trouvé, le répondant fait un simple saut à la manche car il a aussi les valeurs d'une main d'ouverture. Si son partenaire n'avait pas ouvert les enchères, il aurait ouvert 1 ♦.

Les enchères

Ouverture		Réponses	
1	♠	2	♣
2	♥	4	♥
Passe			

Voyons maintenant 4 donnes complètes avec les adversaires et essayons de voir comment on jouerait ses cartes pour réaliser son contrat.

Dans cette donne, Nord (vous) joue le contrat ; Est fait l'entame du valet de ♠ et Sud fait le mort. Avant de jouer une carte du jeu du mort, Nord doit faire son plan de jeu sans regarder les mains de ses adversaires puisqu'il ne les verrait pas dans une partie réelle. (Voir au chapitre 12, « Le plan de jeu », p. 199.)

1. Donneur : Nord

Nord-Sud : Vulnérables

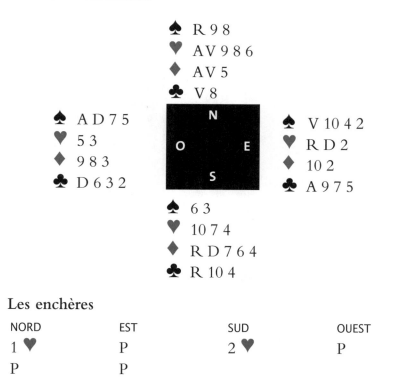

Les enchères

NORD	EST	SUD	OUEST
1 ♥	P	2 ♥	P
P	P		

Est entame le Valet de ♠.

Par son ouverture, Nord indique 5 cartes ♥ et au moins 13 points.
En répondant 2 ♥, Sud promet 3 cartes ♥ ainsi qu'un maximum de
10 points ; il fait une enchère limitée. Nord réévalue sa main et n'y trouve
que 14 points. En effectuant la somme des points contenus dans les deux
mains réunies (14+10=24), il s'aperçoit que la manche n'est pas probable, car il faut normalement 25-26 points pour réussir une manche en
majeure ou en Sans-Atout. Par conséquent, il passe.

2. Donneur : Est

Est-Ouest : Vulnérables

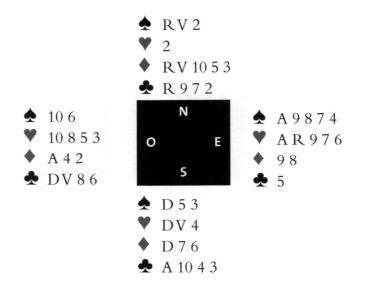

♠ R V 2
♥ 2
♦ R V 10 5 3
♣ R 9 7 2

♠ 10 6
♥ 10 8 5 3
♦ A 4 2
♣ D V 8 6

♠ A 9 8 7 4
♥ A R 9 7 6
♦ 9 8
♣ 5

♠ D 5 3
♥ D V 4
♦ D 7 6
♣ A 10 4 3

Les enchères

EST	SUD	OUEST	NORD
1 ♠	P	1 S.A.	P
2 ♥	P	P	P

Sud entame le 6 de ♦.

Par son ouverture, Est promet 5 cartes ♠ et 13 points. Ouest répond 1 Sans-Atout parce qu'il n'a pas 3 cartes ♠ pour le fit normal de 8 cartes. Avec 6-7 points, il doit pourtant parler. Est peut avoir une autre longue et il faut lui donner la chance de l'annoncer.

Effectivement, Est annonce 2 ♥ ; il ne promet pas plus de points mais 4 cartes ♥. Au 2ᵉ tour d'enchère, l'ouvreur peut annoncer une couleur de 4 cartes.

Ouest réalise qu'avec ses 4 cartes ♥, le fit à 8 cartes est trouvé, mais il sait que son équipe n'a pas les 25-26 points requis pour la manche puisque son partenaire n'a pas fait de redemande à saut. Par conséquent, il passe.

Sud entame le 6 de ♦.

Ouest étend son jeu sur la table et vous (Est) faites votre plan avant de jouer une carte de la main du mort.

3. Donneur : Sud
Nul vulnérable

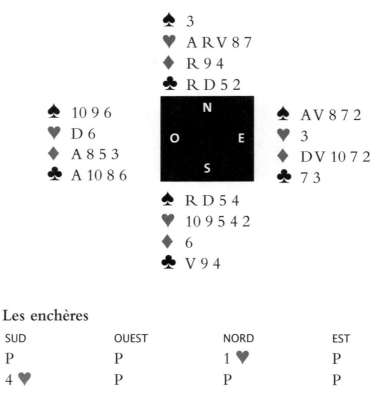

♠ 3
♥ A R V 8 7
♦ R 9 4
♣ R D 5 2

♠ 10 9 6
♥ D 6
♦ A 8 5 3
♣ A 10 8 6

♠ A V 8 7 2
♥ 3
♦ D V 10 7 2
♣ 7 3

♠ R D 5 4
♥ 10 9 5 4 2
♦ 6
♣ V 9 4

Les enchères

SUD	OUEST	NORD	EST
P	P	1 ♥	P
4 ♥	P	P	P

Est entame la Dame de ♦.

Nord ouvre par 1 ♥.

Sud saute à 4 ♥. Le saut à la manche du répondant, dans une couleur majeure, n'a pas la même signification que le saut à la manche de l'ouvreur. Il signale 3 choses :

4 cartes d'atout ou plus ; dans la couleur du partenaire,
une main ne contenant pas plus de 10 points H ;
une main comprenant un singleton ou une chicane.

C'est un Shut-out bid qui demande à l'ouvreur de passer.

Vous (Nord) jouez le contrat, donc c'est Est qui fait l'entame de la Dame de ♦. Sud étend son jeu sur la table et vous (Nord) faites votre plan avant de jouer une carte du mort. (Voir chapitre 12 – Le jeu de la carte.)

4. Donneur : Nord

Tous vulnérables

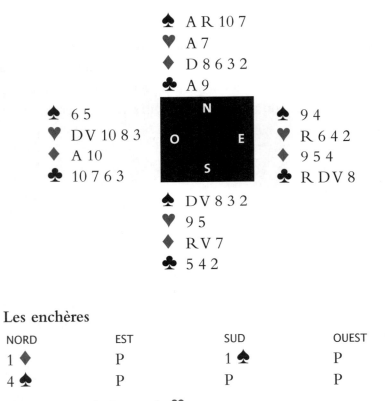

Les enchères

NORD	EST	SUD	OUEST
1 ♦	P	1 ♠	P
4 ♠	P	P	P

Ouest entame la Dame de ♥.

Nord ouvre à 1 ♦. Sud répond 1 ♠. Il ne promet ainsi que 4 cartes ♠ et un minimum de 6 points. En changeant de couleur, il force son partenaire à reparler.

Nord réévalue sa main : il compte 19 points avec son fit à ♠. Avec les 6 points que lui a promis son partenaire, il a les points requis pour la manche et il doit l'annoncer. Le saut à la manche de l'ouvreur montre 19-20 points (à ne pas confondre avec le saut à la manche du répondant qui montre moins de 10 points H).

Ce n'est pas un Shut-out bid, c'est-à-dire une enchère qui se veut finale. Nord annonce donc son fit et ses points. Comme Sud n'a promis que 6 points, Nord doit obligatoirement avoir 19-20 points HD pour faire cette enchère. Avec 13 points HD, Sud penserait au chelem et en prendrait l'initiative.

Quand c'est l'ouvreur qui fait un saut à la manche, ce n'est jamais un Shut-out bid. Si le répondant a des valeurs supplémentaires qui lui laissent espérer un chelem, il doit le tenter.

Seul le répondant peut faire un Shut-out bid, c'est-à-dire sur 1 ♠, sauter à 4 ♠ ou sur 1 Sans-Atout, sauter à 3 Sans-Atout, par exemple.

C'est Sud qui a annoncé la couleur d'atout le premier, c'est donc lui qui joue le contrat. Ouest entame la Dame de ♥, Nord étend son jeu sur la table et Sud fait son plan avant de jouer une carte de la main du mort. (Voir chapitre 12 – Le jeu de la carte.) Si vous avez réussi vos annonces et le jeu de la carte, bravo, vous savez déjà jouer au bridge.

Chapitre 7

Les redemandes

■ Les redemandes

La phase de redemandes est aussi importante que celle de l'ouverture des enchères. C'est le moment de préciser la nature et la valeur de sa main.

Le fait pour l'ouvreur ou le répondant de répéter une couleur n'ayant pas été soutenue n'indique pas un nombre de points plus élevé, mais seulement une carte de plus que le nombre déjà promis.

Quand l'ouvreur répète sa couleur, soutient la couleur de son partenaire ou annonce Sans-Atout sans sauter, il ne signale qu'une main d'ouverture minimum, soit de 13 à 16 points.

Quand l'ouvreur fait un simple saut dans sa couleur ou dans celle du répondant, il invite son partenaire à atteindre la manche mais ne le force pas à répondre. Cette enchère d'invitation promet seulement de 17 à 18 points.

Lorsque le répondant donne une nouvelle couleur au niveau de 2, il promet un minimum de 10 francs points et s'engage à reparler si l'ouvreur annonce une nouvelle couleur.

Quand le répondant a fait une enchère *limitée,* c'est-à-dire répondu 1 Sans-Atout, l'ouvreur, avec une main minimum, doit passer s'il n'a pas une couleur répétable ou une autre belle couleur. De même, si le répondant a donné un simple soutien d'atout, l'ouvreur doit réévaluer sa main et passer avec moins de 16 points (15+9=24).

L'ouvreur ayant en main de 16 à 18 points doit inviter son partenaire à la manche en surenchérissant dans une couleur agréée ou à Sans-Atout, selon la réponse positive de son partenaire.

Avec 19 points HD, l'ouvreur doit sauter à la manche dès qu'un fit en majeure est découvert au premier tour d'enchère. On ne doit pas oublier qu'il faut normalement plus de points pour réussir une manche en mineure, puisqu'il faut alors remporter 11 levées.

Après avoir donné la valeur de sa main par un saut à changement, on a tout dit de ses points. C'est au partenaire de prendre toute initiative concernant un chelem, s'il croit possible d'en réussir un, petit ou grand.

Lorsque l'ouvreur aura annoncé 1 Sans-Atout à son deuxième tour de parole, le répondant devra bien réfléchir avant de reparler. Avec une main régulière et pas plus de 9 points, il devra passer (15+9=24).

Le bridge doit être raisonné pour être compris et compris pour être apprécié. Avant de faire une annonce, on doit toujours se demander où elle peut mener.

■ Les redemandes de l'ouvreur ayant annoncé UN d'une couleur

Quand le répondant a fait une réponse positive, l'ouvreur doit réévaluer sa main et, avec :

De 13 à 15 points HD ★ (Main minimum) :
Reparler sans inviter ni forcer le répondant à reparler.

a) Répéter une couleur majeure avec 6 cartes.

b) Donner une nouvelle couleur d'au moins 4 cartes.

c) Donner une nouvelle couleur, moins chère que la première et d'au moins 4 cartes, au niveau de 2 si la distribution ne permet pas de dire 1 Sans-Atout.

d) Soutenir la couleur majeure du partenaire avec 4 cartes de cette couleur.

e) Annoncer 1 Sans-Atout.

f) Exceptionnellement, répéter une bonne couleur de 5 cartes (majeure) si toute autre annonce est vraiment impossible.

g) Donner un support d'une mineure avec 4 cartes.

★ Si le répondant l'invite à la manche, l'ouvreur acceptera avec 14-15 points (14+12=26, 15+11=26) mais refusera avec 13. Souvent, une manche en majeure se réussira avec 25 points.

De 16 à 18 points (Bonne main):
Sans le forcer, inviter le partenaire à se rendre à la manche.

a) Faire un simple saut dans la couleur majeure d'ouverture si elle comporte 6 cartes ou plus (Pas impératif).

b) Avec un soutien de 4 cartes dans la couleur majeure du répondant, faire un simple saut dans cette couleur (Pas impératif).

c) Surenchérir à 3, quand le partenaire a soutenu une majeure (Pas impératif).

d) Dire 2 Sans-Atout quand le partenaire a soutenu une mineure (Pas impératif).

De 19 points et plus:

a) Sauter directement à la manche s'il a un support de 4 cartes de la couleur majeure annoncée par le répondant.

b) Sauter à la manche si le partenaire a donné un soutien d'atout en majeure.

c) Dire 3 Sans-Atout si le partenaire a répondu 1 Sans-Atout.

d) Faire un saut à changement de couleur.

■ **La deuxième enchère du répondant**

C'est par sa deuxième enchère que le répondant va montrer la force ou la faiblesse de sa main. Avec:

De 0 à 5 points: S'il a déjà passé ou fait une réponse négative, il pourra donner une longue s'il n'a pas de soutien pour les couleurs de son partenaire (6 cartes).

De 6 à 10 points HD (Main minimum) :

Il passera s'il est satisfait du contrat et que l'ouvreur ne le force pas à reparler. Sinon, il dira 1 Sans-Atout ou donnera une préférence pour la première couleur du partenaire. S'il a une couleur majeure à 5 cartes, il la répétera.

Si l'ouvreur l'invite à la manche : Il acceptera l'invitation avec 9 points, mais refusera avec moins.

Si l'ouvreur le force à reparler : Il répétera une couleur répétable, signalera sa préférence pour une des couleurs de l'ouvreur ou annoncera Sans-Atout. S'il a une seconde couleur annonçable, il la donnera.

De 11 à 12 points HD :

a) Il invitera l'ouvreur à la manche en annonçant une autre couleur ou en surenchérissant à un niveau plus élevé une couleur agréée.

b) Avec 12 points, il annoncera la manche si un fit en majeure ou en Sans-Atout est trouvé.

De 13 à 15 points HD :

a) Il devra annoncer la manche en majeure si le fit est trouvé, sinon en Sans-Atout.

b) S'il n'a pas encore annoncé à saut, il sautera dans une couleur déjà annoncée.

De 16 à 18 points (Très bonne main) :

a) Il fera un saut selon l'accord des mains, que ce soit dans la couleur du partenaire, dans la sienne ou en Sans-Atout.

b) Si aucun accord n'est trouvé, il annoncera une nouvelle couleur sans sauter. L'ouvreur sera forcé de reparler.

19 points et plus (Main excellente) :

a) Avec un bon soutien dans une des couleurs de l'ouvreur, il fera la demande d'As «Blackwood». (Voir chapitre 14 – Les conventions usuelles.)

b) Il annoncera une nouvelle couleur à saut s'il ne l'a pas déjà fait.

■ Comment reconnaître une situation de chelem

Si le partenaire fait une ouverture à 2 ♣, enchère de force impérative, avec 9 points dont 1 As ou plus, on peut espérer réussir un chelem.

Si le partenaire ouvre l'enchère et qu'on a une main de réponse de 19 points HD avec le fit, on doit chercher le chelem.

Avec 19 points H sans fit, le chelem à Sans-Atout est possible.

Quand on ouvre l'enchère avec 18 points et que le partenaire annonce à simple saut dans la couleur d'ouverture du partenaire ou en Sant-Atout (de 13 à 15 points), on doit tenter le chelem si un fit quelconque est trouvé.

Si on prend soin de réévaluer les mains après chaque annonce, on arrivera parfois au total de 33 points dans les 2 mains réunies et il *faudra* chercher le chelem.

Pour réussir un chelem, il est indispensable que les mains se complètent l'une l'autre afin de pouvoir prendre la main de part et d'autre. Autrement, on risque d'être coincé.

On ne doit pas oublier que le misfit, c'est-à-dire des mains qui ne se complètent pas, est la cause de plus d'un échec, même avec des mains très puissantes.

Voici comment vous procéderiez pour chercher un chelem si votre partenaire ouvrait les enchères et que vous teniez la main suivante :

♠ A R 6 4
♥ R D
♦ A 9 8 6 2
♣ A 10

VOTRE PARTENAIRE OUVRE :	VOUS RÉPONDEZ :
1 ♣, 1 ♦, ou 1 ♥	1 ♠ ; vous avez les points pour un chelem, mais il faut d'abord trouver dans quelle couleur le jouer avant de montrer votre force. Votre partenaire peut n'avoir que 10-12 points H.
1 ♠	3 ♦ ; il y a fit à ♠ et un saut à changement de couleur vous permet d'annoncer votre intention de vous rendre au chelem. Cette enchère de 3 ♦ implique un fit. Quelle que soit la réponse de votre partenaire, vous confirmerez le fit à ♠ et c'est lui qui prendra l'initiative du chelem en se servant de la convention Blackwood, 4 Sans-Atout ; demande d'As sur contrat en couleur.

1 Sans-Atout	Votre partenaire vous montre au moins 15 points H, vous savez qu'un chelem est réalisable. Vous direz 4 ♣ ; convention Gerber sur ouverture en Sans-Atout, qui demande le nombre d'As dans la main du partenaire. Au tour suivant, selon la réponse, vous annoncerez un petit ou un grand chelem. (Voir chapitre 14 – Les conventions usuelles.)

1. Donneur : Nord
Nul vulnérable

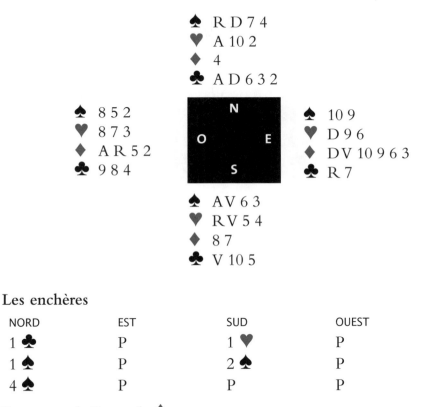

♠ R D 7 4
♥ A 10 2
♦ 4
♣ A D 6 3 2

♠ 8 5 2
♥ 8 7 3
♦ A R 5 2
♣ 9 8 4

♠ 10 9
♥ D 9 6
♦ D V 10 9 6 3
♣ R 7

♠ A V 6 3
♥ R V 5 4
♦ 8 7
♣ V 10 5

Les enchères

NORD	EST	SUD	OUEST
1 ♣	P	1 ♥	P
1 ♠	P	2 ♣	P
4 ♣	P	P	P

Est entame la Dame de ♦.

L'ouverture des enchères par 1 ♣ ne promet que 13 points ; ce n'est qu'à sa redemande que l'ouvreur pourra préciser la valeur et la forme de sa main.

Sud répond 1 ♥ ; contrairement à l'ouvreur, le répondant doit donner la moins chère de ses 2 couleurs majeures. Il ne promet que 6 points et 4 cartes de sa couleur.

Nord dit 1 ♠ et Sud doit comprendre que Nord n'a que 4 cartes ♠ ; autrement il aurait ouvert par 1 ♠.

Avec ses 11 points et un fit à ♠, Sud doit parler 2 fois. Il dit donc 2 ♠, ce qui indique 10-12 points et 4 cartes ♠ (Il lui faut 4 cartes ♠ pour le fit de 8 cartes).

Nord, avec ses 17 points, doit alors sauter à la manche.

2. **Donneur : Sud**

Nul vulnérable

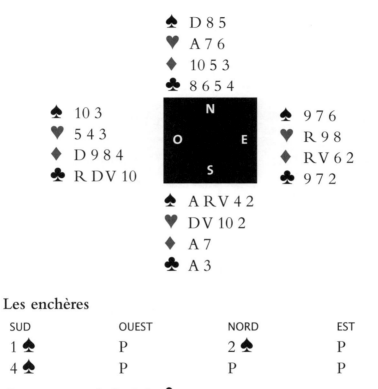

♠ D 8 5
♥ A 7 6
♦ 10 5 3
♣ 8 6 5 4

♠ 10 3
♥ 5 4 3
♦ D 9 8 4
♣ R D V 10

♠ 9 7 6
♥ R 9 8
♦ R V 6 2
♣ 9 7 2

♠ A R V 4 2
♥ D V 10 2
♦ A 7
♣ A 3

Les enchères

SUD	OUEST	NORD	EST
1 ♠	P	2 ♠	P
4 ♠	P	P	P

Ouest entame le Roi de ♣.

Sud a 21 points HD avec ses 19 points H et ses deux doubletons. Si Nord n'a pas de fit à ♠ et moins de 6 points, Sud ne pourra pas réussir une manche.

La réponse de Nord promet 6 points et 3 cartes de ♠. Sud doit donc sauter à 4 ♠. Nord passe, il a tout dit de sa main.

3. Donneur : Nord

Est-Ouest vulnérables

	♠ A D 7 4 3	
	♥ R 3	
	♦ D V 6	
	♣ D V 3	

♠ 9 5 2	**N**	♠ V 10
♥ 7 6 5 4		♥ D V 10 8
♦ R 10 7	**O E**	♦ 9 8 2
♣ R 9 5	**S**	♣ A 10 7 2

	♠ R 8 6	
	♥ A 9 2	
	♦ A 5 4 3	
	♣ 8 6 4	

Les enchères

NORD	EST	SUD	OUEST
1 ♠	P	2 ♦	P
2 S.A.	P	3 ♠	P
4 ♠	P	P	P

Est entame la Dame de ♥.

Nord promet 5 cartes ♠ et 13 points.

Pour annoncer une nouvelle couleur au niveau de 2, le répondant doit avoir un minimum de 10 francs points.

Avec ses 11 points, Sud est trop fort pour ne donner qu'un simple soutien avec son fit à ♠ ; il doit parler 2 fois.

L'ouvreur est forcé de reparler chaque fois que son partenaire annonce une nouvelle couleur.

Sur 2 ♦, Nord ne peut pas répéter sa couleur. S'il le faisait, il annoncerait une carte ♠ de plus ; il dit donc 2 Sans-Atout. Sud donnera son soutien à ♠ et Nord, avec ses 15 points, dira 4 ♠. Si Nord n'avait eu que 13 points, il aurait passé sur 3 ♠.

4. **Donneur : Est**
   Nul vulnérable

                          ♠ R 8 7 6
                          ♥ R V 2
                          ♦ 9 7 3
                          ♣ D 9 5

    ♠ D V 9 5 3   ┌──────────┐   ♠ 10 4 2
    ♥ D 7 5 4   │   N   │   ♥ A 6
    ♦ A 4   │ O   E │   ♦ R V 8 6 5 2
    ♣ 8 4   │   S   │   ♣ A R
                         └──────────┘
                          ♠ A
                          ♥ 10 9 8 3
                          ♦ D 10
                          ♣ V 10 7 6 3 2

Les enchères

EST	SUD	OUEST	NORD
1 ♦	P	1 ♠	P
2 ♦	P	2 ♥	P
3 ♠	P	4 ♠	P
P	P		

Nord entame le 5 de ♣.

Sur l'ouverture de 1 ♦, Ouest doit annoncer ♠ avant ♥ parce qu'il a une carte de plus dans cette couleur. À son prochain tour d'enchère, il annoncera ♥ et son partenaire devra comprendre que sa couleur ♠ est plus longue que sa couleur ♥.

Est réévalue sa main, car il sait qu'il y a fit à ♠. Il compte 17 points en soutien à ♠ ; il doit montrer cette force en annonçant à saut pour inviter Ouest à la manche.

Avec ses 11 points, Ouest dit 4 ♠. Il nie les possibilités de chelem.

5. Donneur : Nord

Nord-Sud vulnérables

```
              ♠ R 10 8
              ♥ DV 10
              ♦ A 9 8 6
              ♣ A 9 8

♠ V 6 2          N          ♠ 5 4
♥ 7 6                       ♥ 8 4 3 2
♦ R 10 7 4    O     E       ♦ DV 5
♣ R DV 5                    ♣ 10 7 6 2
                 S

              ♠ A D 9 7 3
              ♥ A R 9 5
              ♦ 3 2
              ♣ 4 3
```

Les enchères

NORD	EST	SUD	OUEST
1 ♦	P	1 ♠	P
1 S.A.	P	2 ♥	P
2 ♠	P	4 ♠	P
P	P		

Ouest entame le Roi de ♣.

Avant de répondre à saut pour montrer sa force, Sud doit chercher s'il existe un fit en majeure, il dit 1 ♠ et 2 ♥ sur le 1 Sans-Atout de Nord.

Nord doit comprendre que, dans la main de son partenaire, la couleur ♠ est plus longue que la couleur ♥, puisqu'il n'est pas normal d'annoncer ♠ avant ♥ en réponse.

Nord ne montre pas plus de points en disant 2 ♠ ; il donne simplement sa préférence et confirme le fit. Il a la certitude que Sud a 5 cartes ♠. Il faut toujours se méfier d'un misfit. Si Nord n'avait pas eu de fit à ♠, il aurait dit 2 Sans-Atout sur 2 ♥ et Sud aurait fermé la manche à 3 Sans-Atout.

6. Donneur : Est

Est-Ouest vulnérables

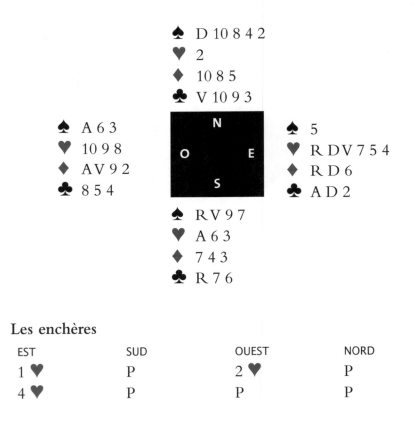

Les enchères

EST	SUD	OUEST	NORD
1 ♥	P	2 ♥	P
4 ♥	P	P	P

Sud entame le 7 de ♠.

Sur la réponse 2 ♥ d'Ouest, Est réévalue sa main. À l'ouverture, il avait 19 points HD ; son partenaire lui promet 3 cartes de ♥ et 6 à 10 points. Sa neuvième carte de ♠ (6+3) lui donne 1 point de plus ; il sait qu'il n'y a pas de chelem malgré sa très bonne main.

7. Donneur : Nord
Nord–Sud vulnérables

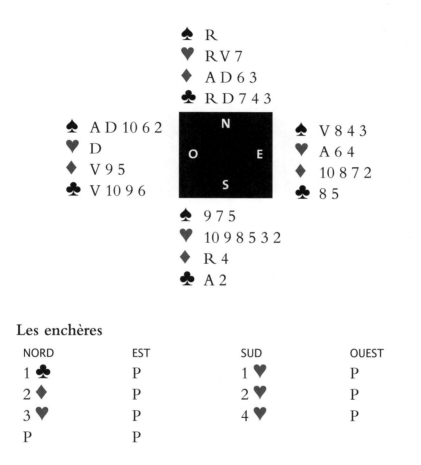

Les enchères

NORD	EST	SUD	OUEST
1 ♣	P	1 ♥	P
2 ♦	P	2 ♥	P
3 ♥	P	4 ♥	P
P	P		

Ouest entame le Valet de ♣.

Avec 2 couleurs dont la plus longue est la moins chère dans une bonne main d'ouverture, on fait « l'inverse ». Cela permet de montrer 17-18 points HD sans annoncer à saut.

Comme Sud ne promet que 4 cartes ♥ par sa réponse de 1 ♥, Nord ne peut pas le soutenir à saut pour montrer sa force ; il annonce donc 2 ♦, ce qui n'est pas naturel et indique 5 cartes ♣ et 4 cartes ♦. Ce qui pourrait être 6-5 aussi.

Ensuite, Sud doit répéter sa couleur et Nord annoncer 3 ♥ pour signaler le fit et son intérêt pour la manche.

Sud doit accepter l'invitation et dire 4 ♥.

8. **Donneur : Ouest**
Nord–Sud vulnérables

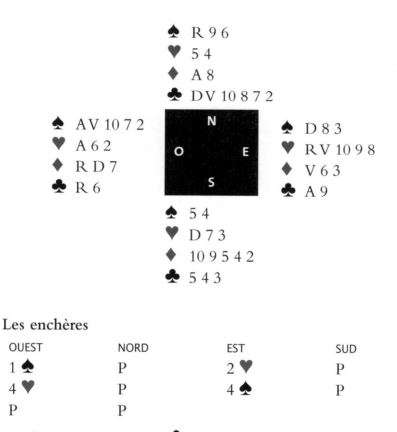

♠ R 9 6
♥ 5 4
♦ A 8
♣ D V 10 8 7 2

♠ A V 10 7 2
♥ A 6 2
♦ R D 7
♣ R 6

♠ D 8 3
♥ R V 10 9 8
♦ V 6 3
♣ A 9

♠ 5 4
♥ D 7 3
♦ 10 9 5 4 2
♣ 5 4 3

Les enchères

OUEST	NORD	EST	SUD
1 ♠	P	2 ♥	P
4 ♥	P	4 ♠	P
P	P		

Nord entame la Dame de ♣.

Est répond 2 ♥, promet 11 points H et 5 cartes ♥.

Ouest dit 4 ♥ car il est sûr qu'il y a fit (on ne donne pas une majeure au niveau de 2 avec seulement 4 cartes, sauf lorsqu'on a 5 cartes de ♠ et 4 cartes de ♥ qu'on donne en redemande).

Est confirme le fit à ♠ ; avec ses 13 points, il a pensé au chelem en raison du saut de son partenaire dans sa couleur, mais y a renoncé du fait que ce dernier ne lui avait promis que 16-18 points.

Ouest et Est ont deux fit. Si un des joueurs est plus habile pour mener le jeu, on le laisse jouer le contrat. Ou on passe sur 4 ♥ ou on dit 4 ♠.

9. **Donneur : Sud**

Tous vulnérables

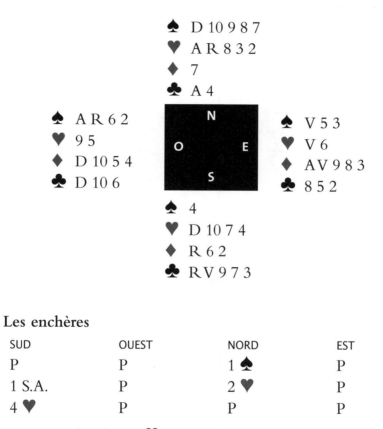

Les enchères

SUD	OUEST	NORD	EST
P	P	1 ♣	P
1 S.A.	P	2 ♥	P
4 ♥	P	P	P

Est entame le Valet de ♥.

N'ayant pas 10 francs points pour changer de couleur au niveau de 2, Sud ne peut pas annoncer sa longue à ♣. Il doit dire 1 Sans-Atout.

Lorsque Nord annonce 2 ♥, Sud réévalue sa main et, avec son fit à ♥, se découvre 12 points ; il doit alors sauter à 4 ♥.

■ Le misfit

Il y a misfit quand les mains ne s'accordent pas.

Lorsque le partenaire annonce 2 couleurs dans lesquelles on a 2 courtes et qu'on a aussi 2 longues dans lesquelles il a 2 courtes, il y a misfit. Même avec 27-28 points dans les deux mains réunies, on pourra rarement réussir une manche à la couleur ou à Sans-Atout. C'est alors la communication d'une main à l'autre qui pourra s'avérer très difficile pour permettre de tirer profit d'une longue suite.

À partir du moment où l'on réalise qu'il y a misfit, on doit renoncer à toute enchère à saut pour montrer ses points. Voici un exemple :

Donneur : Sud

Est-ouest vulnérables

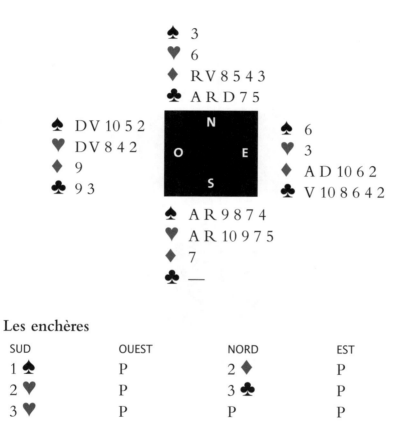

Les enchères

SUD	OUEST	NORD	EST
1 ♠	P	2 ♦	P
2 ♥	P	3 ♣	P
3 ♥	P	P	P

Sud a 14 points H et 5 points D	=	19 points
Nord a 13 points H et 4 points D	=	17 points
Total	=	36 points

Même avec 36 points (les points pour un chelem), Nord-Sud ne pourront pas réussir une manche.

Les points de distribution perdent toute leur valeur. Face à un misfit, on ne doit pas tenter le chelem. Souvent, 3 Sans-Atout sera le contrat le moins pénalisé.

Par contraste, voici une donne amusante qui ressemble à la donne classique du duc de Cumberland des années 1930.

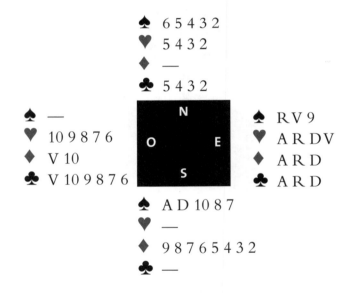

Avec seulement 6 points H, Sud joue et réussit un grand chelem à ♠ contré.

Quelle que soit l'entame d'Ouest, Sud coupe ou de sa main ou du mort, selon le cas. Il prend une impasse à ♠ en couvrant la carte jouée par Est (celui qui a montré une forte main), coupe un ♦ prend une autre impasse à ♠ et coupe un 3ᵉ ♦. Il coupe un ♣ du mort pour reprendre la main, va chercher le dernier atout d'Est, et tous ses ♦ affranchis gagnent les autres levées.

Cette donne est sans doute un mythe, mais elle illustre bien les avantages d'une main de distribution lorsqu'il y a un bon fit entre les partenaires.

Chapitre 8
Les ouvertures à Sans-Atout

- ■ **Conditions requises pour ouvrir à Sans-Atout**
  - ■ un nombre délimité de francs points ;
  - ■ une distribution régulière ;
  - ■ trois couleurs gardées et la quatrième, si en doubleton, avec au moins un honneur à la Dame.

Pour les ouvertures à 2 et à 3 Sans-Atout, les 4 couleurs doivent être gardées.

- ■ **Les points**

Il faut :

- ■ De 15-17 francs POINTS pour ouvrir à 1 Sans-Atout.
- ■ De 20-21 francs POINTS pour ouvrir à 2 Sans-Atout.
- ■ De 25-27 francs POINTS pour ouvrir à 3 Sans-Atout.

- ■ **La distribution**

Trois types de distribution se prêtent au Sans-Atout :

- ■ la distribution 4-3-3-3 (Distribution parfaite) ;

- la distribution 4-4-3-2 (Bonne distribution);
- la distribution 5-3-3-2 (Surtout si la couleur à 5 cartes est en mineure).

En résumé, une main contenant 1 chicane, 1 singleton ou 2 doubletons ne convient pas pour ouvrir à Sans-Atout.

■ Les couleurs

Pour être «gardée», une couleur doit contenir au moins un honneur protégé. Un As singleton, à Sans-Atout, ne protège pas sa couleur. Une *couleur gardée* correspond donc au moins à :

- As + 1 carte
- Roi + 1 carte
- Dame + 2 cartes
- Valet + 2 cartes

À titre d'information seulement, car vous n'êtes pas prêt à vous servir de ces conventions, sachez qu'il y a 3 conventions qui peuvent améliorer les réponses aux ouvertures à 1 - 2 et 3 Sans-Atout. Ce sont :

Stayman, pour la recherche d'un contrat en couleur.

Jacoby Transfer, pour que le gros jeu reste caché.

Gerber pour savoir combien le partenaire a d'As et de Roi dans sa main pour la recherche d'un chelem. (Voir chapitre 14 – Les conventions usuelles.)

■ Les réponses aux ouvertures de Sans-Atout

Quand le partenaire ouvre les enchères en Sans-Atout, c'est comme s'il montrait sa main.

En effet, non seulement il annonce à 2 points près le nombre de points contenus dans sa main, mais il dit avoir une distribution régulière et des honneurs gardés dans 3 couleurs. Sa responsabilité finit là. Il n'aura plus ultérieurement qu'à accepter ou à refuser les éventuelles invitations à se rendre à la manche ou au chelem lancées par son partenaire.

C'est donc au répondant qu'incombe toute la responsabilité du contrat final. Le répondant connaît la valeur de la main de l'ouvreur, c'est pourquoi il est responsable du résultat de l'enchère. Il devra donc effectuer le calcul nécessaire pour savoir s'il doit annoncer ou inviter son partenaire à un contrat plus élevé.

Pour faire ce calcul, il ajoutera ses propres points à 15 et verra si le total obtenu s'accorde avec le barème suivant :

26 points H pour la manche ;

33 points H pour le petit chelem ;

37 points H pour le grand chelem.

Il fera le même calcul avec 17 et si le total permet d'espérer une manche ou un chelem, il invitera son partenaire à s'y rendre *s'il n'est pas certain* du nombre total de points offert par les deux mains.

Naturellement, si l'ouvreur n'a que 15 points, il déclinera toute invitation. Il n'y donnera suite que s'il a 16 ou 17 points. Par ailleurs, il devra faire confiance à son partenaire et passer, même avec 17 points, quand ce dernier aura annoncé la manche ou le petit chelem en Sans-Atout.

Je dois faire ici une parenthèse, pour insister sur la nuance existant entre inviter à la manche et l'annoncer. Trop de bridgeurs ne l'ont jamais saisie alors qu'elle se résume à une simple question de logique.

En ouvrant à 1 Sans-Atout, votre partenaire vous a précisé n'avoir pas moins de 15 francs points et pas plus de 17. Que voulez-vous qu'il dise de plus? Si de votre côté vous avez les 11 francs points requis pour la manche, annoncez-la (15+11=26). Si vous avez les 18 points requis pour le petit chelem, annoncez-le (18+15=33) (avec une main régulière).

En effet, sur une simple invitation de votre part, votre partenaire devrait passer s'il n'avait que le minimum de 15 points et vous rateriez la chance de réussir un bon contrat.

Sur une ouverture de 1 Sans-Atout, si vous n'avez pas les points nécessaires pour inviter à la manche ou l'annoncer, PASSEZ avec une main régulière. Mais avec une main de distribution contenant des longues et des courtes, il faudra CHERCHER un contrat à la couleur qui sera plus réalisable ; avec l'avantage de se servir des basses cartes d'atout pour couper et communiquer d'une main à l'autre comme on le verra plus loin.

■ Les réponses à l'ouverture de UN Sans-Atout

AVEC LA MAIN RÉGULIÈRE

De 0 à 7 points :	Passez, 7+17=24 ; il n'y a pas d'espoir de manche.
De 8 points et une couleur mineure de 5 cartes ou 8 points dont un As :	Dites 2 Sans-Atout ; invitation à la manche.
De 9 à 10 points :	2 Sans-Atout, 17+9=26 ; invitation à la manche.
De 11 à 15 points :	3 Sans-Atout. Ce sera un signal d'arrêt, 15+17=32, il n'y a pas de chelem.

De 17 points et plus :	Cherchez le chelem par des enchères impératives et (Convention Gerber).

De 0 à 8 points HD et une couleur	
De 6 cartes : en majeure :	Répondez 2 dans votre longue. Si votre partenaire dit 2 Sans-Atout, répétez votre couleur (signal d'arrêt).

De 9 points HD et une longue	
Majeure de 6 cartes ou plus :	Sautez à 3 de votre longue majeure et dites 4 de votre longue sur 3 Sans-Atout, votre partenaire a au moins 2 cartes de votre couleur.

De 10-11 points HD :

a) Répondez 3 d'une *couleur majeure* de 5 cartes. Si votre partenaire dit 3 Sans-Atout, PASSEZ.

b) Si votre couleur de 5 cartes est *mineure*, dites 3 Sans-Atout, avec 10-11 points H.

c) Avec 6 ou 7 cartes en couleur *majeures*, sautez à la manche dans votre couleur. Si votre longue est mineure, sautez à la manche en Sans-Atout.

d) Avec 4 cartes ou plus dans les 2 *majeures*, vous utiliserez la convention Stayman (voir chapitre 14) pour trouver un fit en majeure.

e) Avec 5 cartes et plus d'une couleur majeure, vous ferez un Jacoby Transfer (voir chapitre 14).

De 10 à 14 points : Sautez à 3 dans votre couleur majeure de 5 cartes ou plus si vous ne jouez pas la convention Jacoby (impératif à la manche). Si votre partenaire annonce 3 Sans-Atout, passez avec seulement 5 cartes, mais annoncez 4 de votre couleur *majeure* avec 6 cartes ou plus.

De 15-16 points HD et plus : Sautez à 3 dans votre couleur majeure de 5 cartes. Si votre partenaire soutient votre couleur, tentez le chelem.

■ Les réponses aux ouvertures de 2 ou 3 Sans-Atout

Après une ouverture à 2 ou 3 Sans-Atout, tout comme après une ouverture à 1 Sans-Atout, il faut ajouter les points promis par l'enchère du partenaire à ceux qu'on a, puis se poser la question suivante : « Une manche est-elle possible ?... Un petit chelem ?... Un grand chelem ?... »

L'ouverture à 2 Sans-Atout promet 20-21 points H. Par conséquent, avec 5-6 points la manche est possible et il faut l'annoncer. Avec une main régulière, on dira 3 Sans-Atout. Avec une main irrégulière, on annoncera la manche dans sa longue de 6 cartes ou plus en majeure.

Avec 12 points et plus, on tentera le chelem.

Après une ouverture à 3 Sans-Atout promettant de 25 à 27 points, on procédera au même calcul que pour les ouvertures à 2 Sans-Atout.

Il ne faudra pas oublier de réévaluer sa main si le contrat se joue à la couleur. C'est souvent la seule façon de trouver les points requis pour l'annonce d'un chelem.

La réussite d'un contrat à Sans-Atout dépend, en grande partie, des moyens de communication reliant les deux mains.

Quand ces moyens n'existent pas, le contrat est menacé. Le répondant, seul juge de la situation, doit prendre l'initiative de chercher le meilleur contrat.

Avec une main de réponse non régulière, il devra, selon les points contenus dans sa main, annoncer de façon à renseigner son partenaire sur la distribution de ses cartes. S'il a une couleur longue et peu ou pas de points, le contrat se jouera mieux dans cette couleur car il offrira au répondant la possibilité de couper pour prendre la main. Voici un exemple qui illustre bien ce point.

Avec la donne suivante, Nord ouvre les enchères par 1 Sans-Atout.

Donneur : Nord
Est-Ouest vulnérables

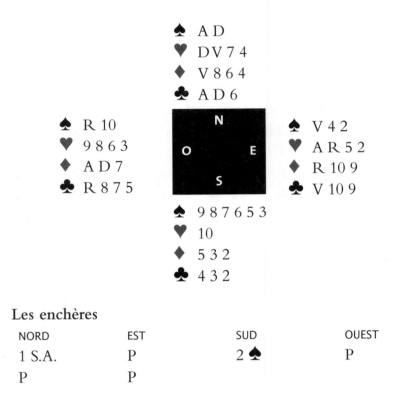

♠ A D
♥ D V 7 4
♦ V 8 6 4
♣ A D 6

♠ R 10
♥ 9 8 6 3
♦ A D 7
♣ R 8 7 5

♠ V 4 2
♥ A R 5 2
♦ R 10 9
♣ V 10 9

♠ 9 8 7 6 5 3
♥ 10
♦ 5 3 2
♣ 4 3 2

Les enchères

NORD	EST	SUD	OUEST
1 S.A.	P	2 ♠	P
P	P		

Pour qui n'a pas l'expérience du bridge, parler au niveau de 2, lorsque sa main ne contient aucun point, semble étonnant. Pourtant, il est indispensable de le faire lorsque le partenaire ouvre à Sans-Atout, car on réussira plus de levées avec les petites cartes d'atout qu'on ne pourrait le faire si le contrat restait à Sans-Atout. Dans notre exemple, le répondant n'a en effet aucune prise de main pour gagner des levées, sauf si l'atout est ♠. Dans un tel cas, la distribution devient plus importante que les points eux-mêmes.

Sud réussira son contrat de 2 ♠.

Remarquez que Nord ne pourrait pas réussir son contrat de 1 Sans-Atout.

Avec ce genre de main de réponse, la convention du Jacoby Transfer est bien utile. Sur le 1 Sans-Atout de Nord, Sud dirait 2 ♥, ce qui forcerait Nord à dire 2 ♠, et Sud passerait. Le danger d'avoir une invitation à 3 ♠ n'existerait pas. Ce serait donc Nord qui jouerait le contrat de 2 ♠ et le gros jeu resterait caché. (Voir chapitre 14.)

Quelques exemples d'ouverture en Sans-Atout :

1. ♠ R V 7
   ♥ R 10 8
   ♦ A 9 8 4
   ♣ A 4 2
   (15 points H)

Ouvrez à 1 Sans-Atout ; les trois conditions requises pour le faire sont satisfaites par cette main (15 points H).

2. ♠ A R 10
   ♥ R 10 8 7
   ♦ A D 8
   ♣ A 6 5
   (20 points H)

Ouvrez à 2 Sans-Atout (20-21 points H) avec une main régulière et les quatre couleurs gardées. C'est votre partenaire qui jugera, selon sa main, si le chelem est réalisable.

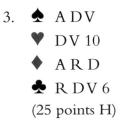

3. ♠ A D V
    ♥ D V 10
    ♦ A R D
    ♣ R D V 6
    (25 points H)

Ouvrez à 3 Sans-Atout, car vous avez 25 points d'honneurs et les 4 couleurs gardées.

Avec la main suivante, vous avez ouvert à 1 Sans-Atout :

4. ♠ R 8 4
    ♥ R D V 7
    ♦ A 9 8 6
    ♣ A 6

Quelle serait votre redemande dans chaque cas si votre partenaire avait répondu :

VOTRE PARTENAIRE RÉPOND :	VOUS REDEMANDEZ :
2 ♥	3 ♥ ; avec ce bon soutien dans la couleur de votre partenaire, votre main vaut 19 points. Avec 8 points, le répondant dira 4 ♥. (Il pourrait n'avoir que 6 cartes de ♥ sans points.)
2 ♠	3 ♠, invitation à la manche.
3 ♥	4 ♥ ; c'est votre partenaire qui doit prendre l'initiation du chelem s'il le croit possible à réaliser.
2 Sans-Atout	3 Sans-Atout ; votre partenaire a moins de 10 points.
3 Sans-Atout	Passez ; c'est votre partenaire qui sait si le chelem est possible.

En jouant ces 5 donnes d'exemples qui suivent, étudiez comment vous pourriez réussir ces contrats. Si nécessaire, voyez le chapitre 12 – Le jeu de la carte.

1. **Donneur : Est**

Tous vulnérables

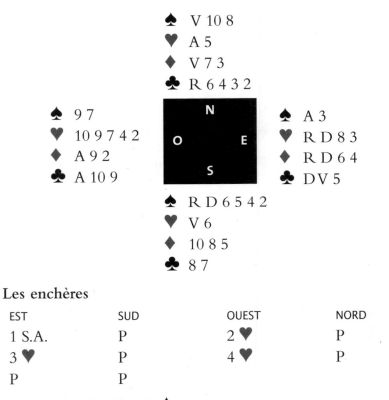

♠ V 10 8
♥ A 5
♦ V 7 3
♣ R 6 4 3 2

♠ 9 7
♥ 10 9 7 4 2
♦ A 9 2
♣ A 10 9

♠ A 3
♥ R D 8 3
♦ R D 6 4
♣ D V 5

♠ R D 6 5 4 2
♥ V 6
♦ 10 8 5
♣ 8 7

Les enchères

EST	SUD	OUEST	NORD
1 S.A.	P	2 ♥	P
3 ♥	P	4 ♥	P
P	P		

Nord entame le Valet de ♠.

Est ouvre à 1 Sans-Atout, car sa main remplit les 3 conditions requises pour le faire : pas de singleton, pas plus d'un doubleton et de 15 à 17 francs points.

Ouest doit dire 2 ♥ pour révéler moins de 10 points H et une majeure de 5 cartes ou plus.

En réévaluant sa main en tant que répondant, Est compte maintenant 19 points ; il ajoute 1 point pour la neuvième carte de ♥ (car en réponse à Sans-Atout, on promet un minimum de 5 cartes d'une couleur majeure) et 1 point pour son doubleton qui ne valait rien à Sans-Atout ; il invite son partenaire à la manche par une surenchère à 3 ♥. Il ne doit pas sauter à 4 ♥, car son partenaire pourrait avoir une main nulle en points.

Avec 8-9 points HD, Ouest est heureux de dire 4 ♥.

2. Donneur : Sud

Nul vulnérable

	♠ A V	
	♥ 10 9 8 5	
	♦ 9 5 3 2	
	♣ R V 6	

♠ 10 9 7 3		♠ 8 6 5
♥ R D 4	N	♥ V 3 2
♦ A 8 6	O E	♦ V 10 4
♣ 8 5 4	S	♣ A 7 3 2

	♠ R D 4 2	
	♥ A 7 6	
	♦ R D 7	
	♣ D 10 9	

Les enchères

SUD	OUEST	NORD	EST
1 S.A.	P	2 S.A.	P
P	P		

Ouest entame le 10 de ♠.

Avec 16 francs points, une distribution 4-3-3-3 et 3 couleurs gardées, l'ouverture à 1 Sans-Atout s'impose.

Face à cette ouverture, avec 9 points ou 8 points dont un As, on peut envisager la manche. Le répondant doit donc inviter l'ouvreur à la manche en annonçant 2 Sans-Atout.

Comme l'ouvreur n'a que 16 points, il doit refuser l'invitation et passer. Il sait qu'avec 10 points, son partenaire aurait annoncé 3 Sans-Atout.

3. Donneur : Ouest
Nord–Sud vulnérables

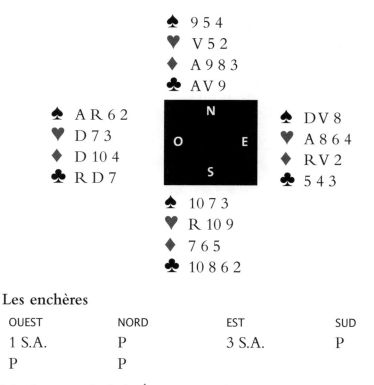

♠ 9 5 4
♥ V 5 2
♦ A 9 8 3
♣ A V 9

♠ A R 6 2
♥ D 7 3
♦ D 10 4
♣ R D 7

♠ D V 8
♥ A 8 6 4
♦ R V 2
♣ 5 4 3

♠ 10 7 3
♥ R 10 9
♦ 7 6 5
♣ 10 8 6 2

Les enchères

OUEST	NORD	EST	SUD
1 S.A.	P	3 S.A.	P
P	P		

Nord entame le 3 de ♦.

Ouest a la main idéale pour une ouverture à 1 Sans-Atout. Avec ses 11 points et une main carrée, Est ne peut espérer un chelem (17+11= 28) ; il sait que son partenaire n'a pas plus de 17 points, donc il ferme la manche.

Pour réussir son contrat, Ouest, comme toujours, doit élaborer son plan de jeu afin de trouver 9 levées. Il gagnera 4 levées à ♠, 3 levées à ♥ s'il joue vers la Dame, 2 levées à ♦ après avoir donné l'As et 1 levée à ♣. Il pourra même réussir 10 levées.

4. Donneur : Nord

Est-Ouest vulnérables

	♠ A D V	
	♥ R D 3	
	♦ R D V 4	
	♣ R 10 8	

♠ R 9 5		♠ 10 7 3 2
♥ 9 4 2	N	♥ A 10 8 7
♦ A 6 2	O E	♦ 8 7
♣ 7 4 3 2	S	♣ A 6 5

	♠ 8 6 4	
	♥ V 6 5	
	♦ 10 9 5 3	
	♣ D V 9	

Les enchères

NORD	EST	SUD	OUEST
2 S.A.	P	3 S.A.	P
P	P		

Est entame le 7 de ♥.

En ouvrant à 2 Sans-Atout, Nord promet 20-21 points H (francs points), 4 couleurs gardées et une distribution de Sans-Atout.

Avec ses 4 points, Sud doit dire 3 Sans-Atout, d'autant plus que son 10 et ses deux 9 donnent de la consistance à ses couleurs.

Sur cette réponse, Nord doit passer : il a tout dit de sa main et l'initiative du chelem serait prise par Sud s'il avait 12-13 points H.

Pour se créer une entrée au mort, Nord devra débloquer son roi de ♣ pour faire l'impasse au roi de ♠ 2 fois.

5. Donneur : Ouest

Nul vulnérable

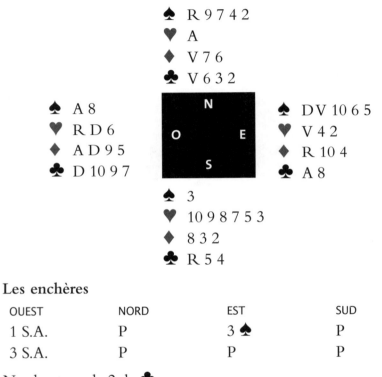

♠ R 9 7 4 2
♥ A
♦ V 7 6
♣ V 6 3 2

♠ A 8
♥ R D 6
♦ A D 9 5
♣ D 10 9 7

♠ D V 10 6 5
♥ V 4 2
♦ R 10 4
♣ A 8

♠ 3
♥ 10 9 8 7 5 3
♦ 8 3 2
♣ R 5 4

Les enchères

OUEST	NORD	EST	SUD
1 S.A.	P	3 ♣	P
3 S.A.	P	P	P

Nord entame le 2 de ♣.

L'ouverture à 1 Sans-Atout promet 15-17 points, 3 couleurs gardées et une main régulière, c'est-à-dire ni singleton ni chicane et pas plus d'un doubleton.

Avec 10 points, le répondant doit sauter à 3 d'une couleur majeure de 5 cartes. S'il n'en a pas, il doit dire 3 Sans-Atout. En ne disant que 2 ♣, il dirait avoir moins de 10 points, si bien que l'ouvreur, avec seulement 15 points, devrait passer et qu'une manche serait perdue.

Dans le cas présent, l'ouvreur n'a pas 3 cartes ♠ pour le fit de 8 cartes. Il dit donc 3 Sans-Atout, et Est doit passer.

Avec 6 cartes ♠, Est dirait 4 ♠, sachant que Ouest a nécessairement 2 cartes ♠.

Chapitre 9

L'ouverture à 2 d'une couleur (2 fort)

■ L'ouverture à 2 d'une couleur (le 2 fort Standard)

L'ouverture des enchères par 2 d'une couleur pour montrer une main d'environ 25 points HD a perdu sa popularité en faveur du 2 faible en couleur, réputé plus compétitif. Elle a été remplacée par l'ouverture à 2 ♣ conventionnelle pour montrer les mêmes valeurs, mais d'une autre façon, afin de permettre l'usage du 2 faible en couleur.

Cependant, certains adeptes du *Rubber Bridge* préfèrent jouer le 2 fort en couleur plutôt que le 2 faible surtout s'ils ne s'intéressent pas au bridge de compétition.

Pour jouer le 2 fort en couleur, il faudra suivre les mêmes règles appliquées à la convention du 2 ♣ fort d'ouverture qui suit cet exposé, avec la seule différence que la réponse conventionnelle négative sera 2 Sans-Atout avec une main contenant moins de 8 points H.

Les exigences de l'ouverture du 2 fort sont les mêmes que celles de la convention du 2 ♣ impératif et forcing à la manche.

Pour le choix de la couleur d'ouverture, on annoncera 2 de la couleur majeure, longue d'au moins 5 cartes. Sans majeure de 5 cartes, on annoncera une mineure d'au moins 5 cartes si on ne peut pas ouvrir à 2 Sans-Atout.

■ L'ouverture à **2** trèfles impérative (2 fort). Enchère artificielle

L'ouverture à 2 ♣ est conventionnelle et impérative. Elle montre une main de 22 points HD et plus selon la distribution des cartes et manifeste une intention de chelem. Elle dit pouvoir réussir une manche sans l'aide du partenaire et lui demande de parler, tant qu'une manche ne sera pas déclarée.

■ Conditions requises pour ouvrir à **2** ♣

20 points HD minimum	+	2 longues (5-5 minimum)
21 points HD minimum	+	1 couleur de 7 cartes
23 points HD minimum	+	1 couleur de 6 cartes
25 points HD minimum	+	1 couleur de 5 cartes

Remarquez que plus la couleur est longue, moins il faut de points.

Exemples :   1. ♠ R D 10 9 6

♥ A D V 8 2

♦ 2

♣ A D

(18-20 points HD)

Ouvrez à 2 ♣.Vous avez 20 points HD et 2 longues.

2. ♠ D V 9 8 7 4 3
    ♥ A R
    ♦ 7
    ♣ A R V
    (18-21 points HD)

Ouvrez à 2 ♣ en raison de vos 21 points HD et de votre couleur de 7 cartes.

3. ♠ A D V 9 7 5
    ♥ 6
    ♦ A R 2
    ♣ A D V
    (21-23 points HD)

Ouvrez à 2 ♣, puisque vous avez environ 23 points et une couleur de 6 cartes. Cette enchère conventionnelle dit pouvoir jouer une manche sans l'aide du partenaire et invite au chelem.

4. ♠ A R 2
    ♥ A R D 9 5
    ♦ R D 8
    ♣ R 5
    (24-25 points HD)

Ouvrez à 2 ♣, puisque vous avez 25 points et une couleur de 5 cartes.

■ Les réponses à l'ouverture de 2 ♣ (main forte)

L'ouvreur à 2 ♣ s'engage à faire une manche sans aide et espère aller au chelem s'il peut trouver chez son partenaire 8 points et une levée d'honneur ou 9 points et une demi-levée d'honneur.

On ne doit jamais passer quand le partenaire ouvre à 2 ♣, même quand la main ne contient aucun point. Il faut garder l'enchère ouverte, afin de lui permettre de se rendre à la manche : la réponse négative et conventionnelle est 2 ♦. Sur la redemande de l'ouvreur, avec un bon soutien d'atout et moins de 8 points, on fait un saut direct à la manche (signal d'arrêt).

Toute autre réponse invite au chelem.

L'ouverture à 2 ♣ promet une main d'une valeur de 22 points et plus, incluant ou non les points de distribution selon la forme de la main.

En réponse avec 0 à 7 points H : Faites la réponse conventionnelle de 2 ♦, quelle que soit la distribution de votre main. Au tour suivant, soutenez la couleur majeure du partenaire si vous avez au moins 3 cartes dans cette couleur et si vous n'avez pas le soutien nécessaire, annoncez votre meilleure couleur d'au moins 5 cartes. Si vous n'avez rien de tout cela, dites 2 Sant-Atout.

De 7 points dont 1 As : Donnez une réponse positive. Dites 2 Sans-Atout si vous n'avez pas une couleur de 5 cartes.

De 8 points et plus :

Si vous avez un soutien d'atout d'au moins 3 cartes, soutenez, sans sauter, la couleur de votre partenaire. (Réponse positive.) Toute réponse autre que 2 ♦ est positive et invite au chelem.

Si la redemande de l'ouvreur est 2 Sans-Atout, il montre une main de 22-24 points H.

Sur cette annonce, on fera les mêmes réponses que s'il avait ouvert à 2 Sans-Atout.

À titre d'information pour plus tard, les conventions Stayman, le Jacoby Transfer et Gerber pourront servir sur l'annonce de 2 Sans-Atout même après l'ouverture à 2 ♣.

Avec la main suivante, vous avez ouvert à 2 ♣ :

♠ A R V 8 6
♥ A V 8 6 4
♦ R 3
♣ A

RÉPONSE DU PARTENAIRE :
2 ♦

VOTRE REDEMANDE :
2 ♠, votre partenaire a moins de 8 points ; il est forcé de garder l'enchère ouverte. Au tour suivant dites 2 ♥ et il devra donner une préférence ou annoncer une longue en couleur.

3 ♣ ou 3 ♦ :	Dites 3 ♠. Après cette réponse positive, il faudra trouver un chelem si un fit en majeure est trouvé. Mais attention, il peut y avoir misfit s'il annonce l'autre mineure au tour suivant. Il faut plus de prudence lorsqu'on a des points de distribution.
2 ♠ ou 2 ♥ :	Le grand chelem est possible si le partenaire a l'As de ♦. Soutenez la couleur annoncée sans faire un saut d'enchère.

1. **Donneur : Est**

Tous vulnérables

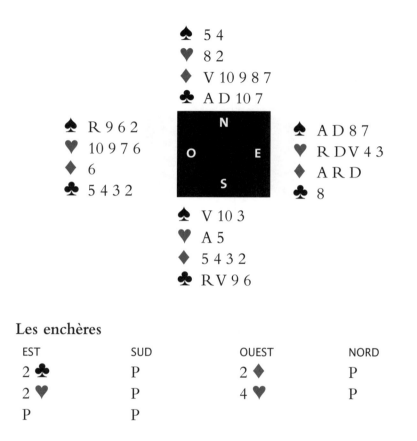

Les enchères

EST	SUD	OUEST	NORD
2 ♣	P	2 ♦	P
2 ♥	P	4 ♥	P
P	P		

Est compte 23 points dans sa main ; il ne lui manque que 3 points pour réussir une manche et 10 points pour un chelem. En ouvrant à 2 ♣, il dit pouvoir réussir une manche sans l'aide de son partenaire. Il force ce dernier à garder les enchères ouvertes afin de montrer sa couleur.

Ouest dit 2 ♦ pour dire qu'il n'a pas 8 points ; il ne promet ainsi pas de cartes ♦ (enchère artificielle).

Est dit 2 ♥ ; il promet 5 cartes ♥.

Ouest dit 4 ♥, il nie la possibilité de chelem. Est doit passer car il a indiqué ses points et c'est à son partenaire de prendre l'initiative du chelem, si le nombre de points est suffisant.

2. Donneur: Ouest
Nord–Sud vulnérables

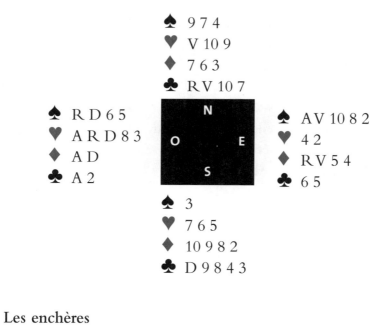

Nord
- ♠ 9 7 4
- ♥ V 10 9
- ♦ 7 6 3
- ♣ R V 10 7

Ouest
- ♠ R D 6 5
- ♥ A R D 8 3
- ♦ A D
- ♣ A 2

Est
- ♠ A V 10 8 2
- ♥ 4 2
- ♦ R V 5 4
- ♣ 6 5

Sud
- ♠ 3
- ♥ 7 6 5
- ♦ 10 9 8 2
- ♣ D 9 8 4 3

Les enchères

OUEST	NORD	EST	SUD
2 ♣	P	2 ♠	P
3 ♥	P	4 ♦	P
4 ♠	P	4 S.A.★	P
5 ♠	P	5 S.A.	P
6 ♥	P	7 ♠	P
P	P		

★ Convention Blackwood

Par sa réponse, Est a confirmé la possibilité de chelem si un fit était trouvé. Il a fait une réponse positive en annonçant une autre couleur que 2 ♦ (enchère négative).

Dès que le fit est découvert, Est sait qu'un chelem est réalisable. Par conséquent, il se livre à la demande d'As «Blackwood».

Sur les contrats en couleur, on se sert de la convention Blackwood pour la demande d'As et de Rois.

Sur les contrats en Sans-Atout on se sert de la convention Gerber.

C'est important d'apprendre ces deux conventions le plus tôt possible.

(Pour les jeux de compétition, on dirait 7 Sans-Atout pour gagner les 10 points de plus en Sans-Atout.)

3. Donneur : Sud
Nul vulnérable

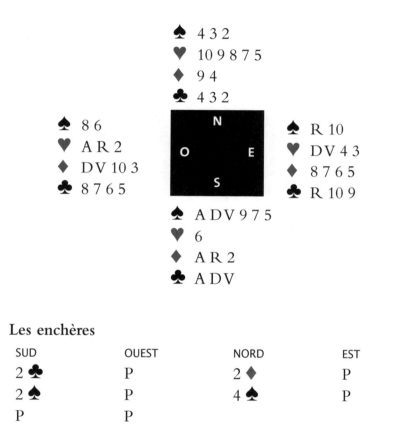

♠ 4 3 2
♥ 10 9 8 7 5
♦ 9 4
♣ 4 3 2

♠ 8 6
♥ A R 2
♦ D V 10 3
♣ 8 7 6 5

♠ R 10
♥ D V 4 3
♦ 8 7 6 5
♣ R 10 9

♠ A D V 9 7 5
♥ 6
♦ A R 2
♣ A D V

Les enchères

SUD	OUEST	NORD	EST
2 ♣	P	2 ♦	P
2 ♠	P	4 ♠	P
P	P		

Sur l'ouverture de Sud à 2 ♣, ouverture qui demande au partenaire de garder l'enchère ouverte tant qu'une manche ne sera pas annoncée, Nord dit 2 ♦ (enchère conventionnelle) pour nier les possibilités de chelem. Ce faisant, il ne promet nullement une longue à ♦.

L'ouverture à 2 ♣ ne promet pas de longue à ♣ ; elle annonce une main qui pourra réussir une manche sans l'aide du partenaire et demande si le chelem est possible. Par contre, en annonçant 2 ♠, Sud promet 5 cartes ♠.

Nord, après avoir dit qu'il n'avait pas les points pour le chelem, annonce 4 ♠. C'est un signal d'arrêt.

4. Donneur : Ouest

Tous vulnérables

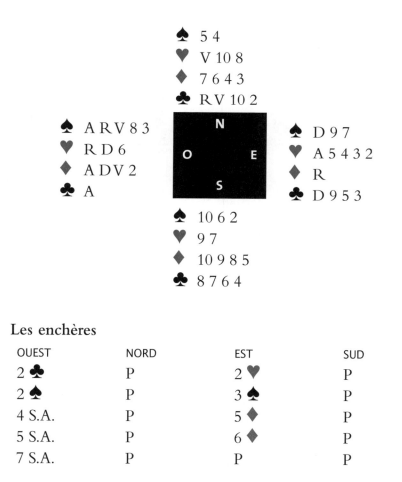

Les enchères

OUEST	NORD	EST	SUD
2 ♣	P	2 ♥	P
2 ♠	P	3 ♠	P
4 S.A.	P	5 ♦	P
5 S.A.	P	6 ♦	P
7 S.A.	P	P	P

Ouest promet les valeurs d'une manche. L'enchère de 2 ♣ est conventionnelle pour demander au partenaire s'il a des valeurs pour un chelem.

Est donne une réponse positive en annonçant une autre couleur que ♦.

Ouest signale sa longue à ♠ ; il promet 5 cartes ♠. Le fit à ♠ est trouvé, mais Est ne dit que 3 ♠ car on ne saute pas à la manche après avoir indiqué qu'on possédait les points pour un chelem.

Ouest fait ensuite l'appel aux As par la convention Blackwood, puis l'appel aux Rois parce qu'il s'est aperçu que son partenaire et lui bénéficiaient des 4 As contenus dans le jeu.

Lorsqu'on se rend compte qu'il manque un As, on ne fait pas la demande de rois, cependant, on peut annoncer un petit chelem ; 1 As ne gagne qu'une levée.

Chapitre 10

Le **2** faible, 3-4-5 faible

L'ouverture à 2 faible est surtout destinée aux joueurs de compétition tout comme les ouvertures de 3e et 4e position (lorsqu'on n'a pas les points d'ouverture réglementaires). Dans une partie de bridge au robre, on a la chance de pouvoir changer la donne quand tous passent. Mais en compétition, les donnes sont préparées à la 1re ronde et sont jouées par toutes les équipes ; ceci pour une juste comparaison des résultats qui ne sont pas soumis au hasard de la chance. On ne peut donc pas changer les donnes.

■ L'ouverture à **2** faible (Weak Two Bid)

L'ouverture à 2 faible se limite aux couleurs ♣, ♥ et ♦. Elle n'est pas impérative, c'est pourquoi on ne fera pas ce genre d'ouverture avec une main contenant les points d'ouverture, car le partenaire pourrait passer et on risquerait de perdre une manche. L'ouverture à 2 ♣ est réservée pour ouvrir les mains de 22 points et plus (enchère conventionnelle).

Pour jouer le 2 faible en ouvrant à 2 ♠, 2 ♥ ou 2 ♦, il est essentiel de satisfaire à certaines conditions.

■ Conditions requises pour ouvrir à **2** faible

1. La main doit contenir une belle couleur de 6 cartes dominée au moins par D-V-10, ou une très belle couleur de 5 cartes dominée par A-R-D. On devrait pouvoir gagner 5 levées en situation de non-vulnérabilité et 6 levées en situation de vulnérabilité. Cette enchère ne doit pas remplacer l'ouverture de «barrage» au niveau de 3, lorsqu'on possède une couleur de 7 cartes ou plus, sauf si la longue couleur est très faible.

2. La main ne doit pas contenir plus de 5-10 points H car, comme nous l'avons déjà vu, cette enchère ne force nullement le partenaire à annoncer; il y a donc danger de perdre une manche.

3. La main doit contenir un minimum de 1 à 2 levées d'honneur, de préférence dans la couleur longue annoncée.

4. On ne doit pas ouvrir à 2 faible lorsqu'on a un bon soutien dans une couleur majeure (4 cartes) et que la main offre une trop grande valeur défensive (une chicane, par exemple). Il serait en effet dommage de rater l'occasion de réussir un meilleur contrat dans la couleur du partenaire en ne laissant pas à celui-ci la possibilité de l'annoncer. Il serait tout aussi regrettable de jouer un contrat sacrifice au seul profit de l'adversaire.

pas de maj 4°

Le but du 2 faible est de nuire aux annonces adverses. On imagine aisément la gêne de l'adversaire qui doit parler au niveau de 3 après une ouverture à 2 ♠. C'est là le bon côté de cette convention! Mais elle ne doit surtout pas mettre le partenaire dans l'embarras. C'est pourquoi cette enchère de barrage est généralement à considérer comme plus efficace en 3e ou en 4e position, après que 2 ou 3 joueurs ont passé.

En situation de vulnérabilité, il faudra agir avec plus de prudence, surtout si l'on se trouve à parler en 1re ou en 2e position, car chuter de 2 levées pourrait représenter un sacrifice trop coûteux si on était contré.

On ne doit pas abuser du 2 faible ; c'est une enchère dangereuse pour qui ne sait pas l'utiliser correctement.

L'ouvreur à 2 d'une couleur ne s'est pas engagé à redemander. Seule l'annonce de 2 Sans-Atout pourra le forcer à reparler. En ce cas, s'il possède une couleur de 4 cartes, il l'annoncera. Sinon, il donnera une couleur contenant un As ou un Roi protégé s'il a 9-10 points. S'il ne peut rien faire de tout cela, il répétera sa couleur.

■ L'ouverture à **3** d'une couleur. Enchère de barrage (mains faibles)

Tout comme l'ouverture à 2 faible, l'ouverture à 3, 4 ou 5 d'une couleur est une enchère de barrage (préemptive). Elle dénote une main faible en francs points mais contenant une couleur longue de 7 cartes ou plus.

Ce genre d'enchère est destiné à nuire aux annonces des adversaires. On comprend qu'avec un départ au niveau de 3, ils seront gênés pour trouver leur meilleur contrat.

■ Conditions requises pour ouvrir à **2, 3, 4** ou **5** d'une couleur

Pas plus de 5 à 10 francs points + 1 couleur de 6-7 cartes ou plus dominée au moins par D-V-10.

L'ouverture à 2-3 à la couleur ainsi que les contrats sacrifice sont plutôt destinés aux joueurs de compétition.

Exemples : 1. ♠ 8
♥ D V 10 7 4 3
♦ D V 10
♣ 9 8 2

Ouvrez à 2 ♥. Vous ne promettez pas plus de 5 points avec une couleur de 6 cartes (Enchère de barrage).

2. ♠ A R D 9 8 7 6 2
♥ —
♦ 6 4 2
♣ 3 2
(9-13 points HD)

Ouvrez à 4 ♠. Vulnérable ou non, cette main doit obligatoirement s'ouvrir par 4 ♠. En dehors de cette couleur, elle n'offre aucune valeur défensive. Si votre partenaire a une main nulle, le contrat chutera de 2 levées au plus, mais vos adversaires, eux, perdront peut-être un chelem (Enchère de barrage).

3. ♠ A 6
♥ 8
♦ D V 9 8 7 4 3
♣ 8 4 3
(7-10 points HD)

Ouvrez à 3 ♦, car vous avez moins de 11 francs points et une couleur de 7 cartes (6 levées certaines) (Enchère de barrage).

4.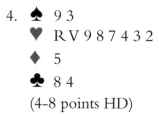
   ♠ 9 3
   ♥ R V 9 8 7 4 3 2
   ♦ 5
   ♣ 8 4
   (4–8 points HD)

Ouvrez à 3 ♥. Cela constitue une enchère de barrage, justifiée par votre nombre de points inférieur à 10 et votre couleur de plus de 6 cartes (6 levées certaines).

■ Les réponses à l'ouverture de 2, 3, 4 ou 5 à la couleur

Quand le partenaire a ouvert à 2, 3, 4 ou 5 à la couleur, il a déclaré avoir une main faible comportant une longue de 6-7 cartes ou plus.

Vulnérable, il lui manque 2 levées pour réussir son contrat.

Non vulnérable, il lui manque 3 levées pour réussir son contrat.

Pour surenchérir, il faut donc pouvoir lui fournir les levées manquantes plus une. Dans ce cas, il suffit d'avoir 2 petites cartes d'atout ou seulement un honneur dans la longue du partenaire pour donner un soutien.

À moins d'avoir une très forte couleur de 7 cartes dans la main, on ne doit pas annoncer une nouvelle couleur.

Avec ce genre d'ouverture, ce ne sont plus les points qui comptent, mais les levées certaines.

Avec un très bon soutien d'atout et aucune autre valeur défensive dans les autres couleurs, on peut continuer le sacrifice en sautant à la manche. Le but de ce sacrifice est de nuire aux déclarations des adversaires. Ils n'auront pas les paliers d'annonces nécessaires pour explorer mutuellement leurs valeurs et souvent, ils perdront un chelem pour ne l'avoir pas déclaré.

Sur une ouverture faible du partenaire alors qu'on possède une main puissante, on pourra le forcer à reparler en disant 2 Sans-Atout.

Sur 2 Sans-Atout l'ouvreur dira 3 Sans-Atout avec 9 points H ou il répétera sa couleur de 7 cartes avec une main de 6, 7 ou 8 points.

Parfois le répondant donnera une nouvelle couleur lorsqu'il n'aura aucun soutien dans la couleur de son partenaire, mais une belle couleur d'au moins 7 cartes (surtout s'il s'agit d'une couleur majeure contre une mineure chez le partenaire) dans sa main. Cette enchère ne sera pas impérative.

Pour répondre à l'ouverture d'un 2 faible, il faut absolument connaître la valeur des levées afin d'apprécier la valeur d'un sacrifice et de savoir à quel moment cela vaut la peine de le faire.

Exemple :

1. **Donneur : Est**
   Nord-Sud vulnérables

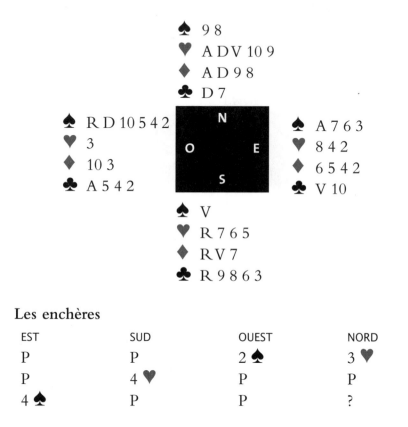

Les enchères

EST	SUD	OUEST	NORD
P	P	2 ♠	3 ♥
P	4 ♥	P	P
4 ♠	P	P	?

Nord doit-il dire 5 ♥ ou doit-il contrer 4 ♠ ? Sans le 2 faible d'Ouest, non vulnérable, il aurait ouvert à 1 ♥ et son partenaire aurait sauté à 3 ♥. Il n'aurait pas hésité à dire 5 ♥ pour gagner les points d'une manche vulnérable. Dans une compétition, il aurait ainsi pu gagner 650 points et dans une partie libre, le robre en plus de la manche, c'est-à-dire 850 points.

Si Ouest chute de 2 levées en étant contré et non vulnérable, Nord-Sud ne gagneront que 300 points.

Remarquez que Nord-Sud peuvent réussir 5 ♥ et qu'Est-Ouest ne chuteront que d'une levée avec leur contrat à 4 ♠. Le 2 faible met souvent l'adversaire dans l'embarras du choix à faire. Si Nord dit 5 ♥, le sacrifice à 5 ♠ serait avantageux pour Est-Ouest.

2. Donneur: Ouest

Est-Ouest vulnérables

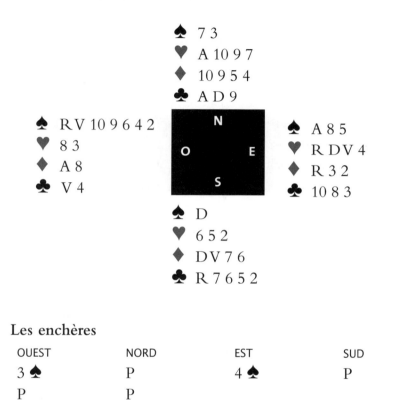

♠ 7 3
♥ A 10 9 7
♦ 10 9 5 4
♣ A D 9

♠ R V 10 9 6 4 2
♥ 8 3
♦ A 8
♣ V 4

N
O **E**
S

♠ A 8 5
♥ R D V 4
♦ R 3 2
♣ 10 8 3

♠ D
♥ 6 5 2
♦ D V 7 6
♣ R 7 6 5 2

Les enchères

OUEST	NORD	EST	SUD
3 ♠	P	4 ♠	P
P	P		

Ouest dit pouvoir réussir 6 levées avec sa couleur longue, et si son partenaire n'assure aucune levée, il chutera de 3 levées. Mais les adversaires perdront peut-être une manche ou un chelem.

Est compte 4 levées dans sa main, ce qui lui permet d'annoncer la manche à 4 ♠.

■ L'ouverture après **2** ou **3** «Passe» sans les points d'ouverture (rarement avantageuse pour les joueurs de *Rubber Bridge*)

Placé en 3ᵉ position, on peut ouvrir les enchères avec moins de points (environ 11). Il suffit d'avoir en main 2 levées d'honneurs et une belle couleur d'atout.

En 4ᵉ position, il faut être plus prudent. En ouvrant les enchères sans les points d'ouverture après que tous les autres joueurs ont passé, on donne la chance aux adversaires d'entrer dans la compétition et de se trouver un bon contrat. Pour ouvrir en 4ᵉ position sans avoir les points d'ouverture habituels, il faut une très belle couleur et des valeurs défensives. Sinon, on doit passer aussi.

Placé en 3ᵉ ou en 4ᵉ position, celui qui ouvre les enchères autrement que par une enchère impérative ne s'engage pas à reparler, contrairement à l'ouvreur placé en 1ʳᵉ ou en 2ᵉ position. Seul un saut à changement, effectué par son partenaire, le forcera à reparler quand il n'aura pas les points d'ouverture habituels.

Que l'ouvreur placé en 3ᵉ ou en 4ᵉ position ne s'y trompe pas : son partenaire qui a déjà passé ne lui promet que 12 points et un bon fit par son saut à changement (avec 19 points, il aurait lui-même ouvert les enchères).

Souvent, même quand les 40 points sont équitablement partagés entre les deux équipes, la manche reste possible si les jeux se complètent. Les points de distribution peuvent alors prendre de la valeur. Voici l'exemple d'une manche que vous perdriez si, placé en 3ᵉ position, vous passiez en ayant seulement 10 francs points mais une belle couleur d'atout.

PREMIÈRE POSITION	TROISIÈME POSITION
(Votre partenaire)	(Votre main)
♠ R D 8 2	♠ A V 10 9 5
♥ R D 9 4 3	♥ V 2
♦ 8 6 2	♦ 10 7
♣ 6	♣ A 7 3 2
(10-12 points)	(10-11 points)
« Passe »	« 1 ♠ »

Après votre ouverture de 1 ♣, votre partenaire, qui a déjà passé, compte maintenant 14 points en réévaluant sa main. Il se dit que si vous avez une bonne main, un chelem est possible. Pour vous forcer à reparler et vous donner la valeur de sa main, il saute à 3 ♥. En dépit de votre faible main, vous devrez quand même reparler. Vous annoncez donc 4 ♣ (sauf dans de rares circonstances, on ne répète pas une couleur majeure d'ouverture comprenant 5 cartes si elle n'a pas été soutenue). Votre partenaire dira 4 ♠ et vous gagnerez tous deux une manche.

Vous auriez également pu ouvrir à 1 ♠ avec la main suivante.

♠ A V 10 9 5 3
♥ A V 2
♦ 7
♣ A 7 3
(14-16 points)

Sur le saut à 3 ♥ de votre partenaire, vous auriez effectué un saut à 4 ♠, car vous savez que pour faire cette enchère votre partenaire a un bon fit. Et votre coéquipier aurait pris l'initiative de chercher un chelem.

En tenant compte du fait que l'ouvreur placé en 3ᵉ ou en 4ᵉ position ne s'engage pas à reparler, on sera prudent dans ses réponses. N'oublions pas que nous nous exposons à devoir jouer notre contrat! Mais ceci est surtout valable pour le bridge de compétition où chaque donne est comparée avec les résultats des autres équipes. En partie libre, on prend moins de risques.

Chapitre 11

Les enchères défensives

Relance

■ Les enchères défensives

Toute enchère faite par l'équipe opposée à celle qui a ouvert les enchères s'appelle «enchère défensive».

Il existe 7 façons classiques de faire une enchère défensive :

1- L'enchère défensive «au niveau de 1»

2- L'enchère défensive «à simple saut FAIBLE»

3- L'enchère défensive «à double saut FAIBLE»

4- L'enchère défensive à «Sans-Atout»

5- Le «contre d'appel»

6- Le «cue bid»

7- Le «réveil»

Avant d'étudier chacune d'elles, examinons un peu leurs avantages et leurs désavantages.

Disons d'abord qu'une enchère défensive est une arme à double tranchant. Si elle renseigne le partenaire sur la valeur et la nature de la main, elle renseigne aussi les adversaires. Par ailleurs, autant, elle peut rapporter de gros bénéfices quand elle est appropriée, autant elle peut s'avérer très coûteuse si elle est mal employée.

Pour mener à bien une enchère défensive, il faut en connaître la portée et savoir juger de l'opportunité de s'en servir.

Dans certaines circonstances, il vaut mieux cacher ses valeurs plutôt que de les mettre en évidence, alors que dans d'autres, il est préférable de faire le contraire. Tout dépend des valeurs de la main par rapport aux annonces de l'équipe adverse.

Généralement, le contrat appartient à l'équipe qui détient le plus de points. Mais parfois, la distribution jouant un grand rôle, il arrive que l'équipe possédant le moins de points parvienne quand même à réussir le meilleur contrat.

Lorsque les 40 points sont également partagés entre les deux équipes, un contrat au niveau de 3 peut être dangereux. Dans ces cas-là l'équipe pouvant annoncer la couleur ♠ est celle qui aura le plus de chances de garder et de réussir un contrat au niveau de 2.

L'intérêt du bridgeur est de gagner des points et d'en donner le moins possible. Sitôt qu'il connaît la marque des points, il comprend vite qu'il a tout avantage à chuter d'une ou de 2 levées plutôt que de permettre à ses adversaires de terminer une manche ou un robre. Cette connaissance lui permet aussi de soupeser le risque de donner à ses adversaires encore plus de points qu'ils n'en pourraient gagner autrement et, par conséquent, de ne pas s'aventurer trop loin dans ses annonces.

Le bridge est une lutte pour jouer son contrat ou pour faire chuter celui des adversaires. Or, cette lutte doit commencer dès que les enchères sont ouvertes.

Dans certains cas, le seul but des enchères défensives sera de brouiller les communications des adversaires pour les empêcher de trouver le meilleur contrat. Dans d'autres, il sera de suggérer une bonne entame à son partenaire ou tout simplement de chercher un bon contrat, mais il sera alors essentiel de posséder certaines valeurs. En l'absence de ces valeurs, il faudra passer.

Le succès d'une enchère défensive dépend en grande partie de la connaissance et du respect qu'on aura du système. Il s'agit en effet d'intervenir de façon que le partenaire comprenne bien où l'on veut en venir, car on a besoin de sa collaboration.

1- L'enchère défensive au niveau de UN

Une enchère défensive à la couleur au niveau de 1 peut se faire avec beaucoup moins de points qu'il n'en faut pour ouvrir les enchères. Il suffit d'avoir une bonne couleur solide d'au moins 5 cartes (A-R-D-x-x). Cela revient à dire qu'avec seulement 6 à 9 points H, on peut nommer une couleur au niveau de 1.

L'enchère défensive à 1 d'une couleur ne promet pas une main de grande valeur, bien que celle-ci puisse contenir de 6 à 16 points.

C'est pourquoi le partenaire de celui qui fait ce type d'enchère défensive ne pourra annoncer, à son premier tour de parole, qu'à la condition que sa main contienne au moins 10 points H. (16 + 10 = 26)

Le but d'une telle enchère, avec seulement 6 points, sera de suggérer une bonne entame au partenaire ou d'empêcher les adversaires d'annoncer un contrat à Sans-Atout qu'ils auraient des chances de réussir si, par hasard, l'entame leur était favorable.

Une question se pose néanmoins : comment le partenaire saura-t-il qu'on a une main de 6, 10 ou 16 points ? C'est au tour suivant que le joueur ayant fait une enchère défensive précisera sa force. Avec 6 à 12 points, il passera. Avec 13 à 16 points, il acceptera les invitations de son partenaire à reparler.

Remarquez que, grâce à ce système, une manche ne peut se manquer ; si on a 16 points et que le partenaire en a 10, après son annonce (qui promet 10 points H), on déclarera la manche.

Donneur : Est

Tous vulnérables

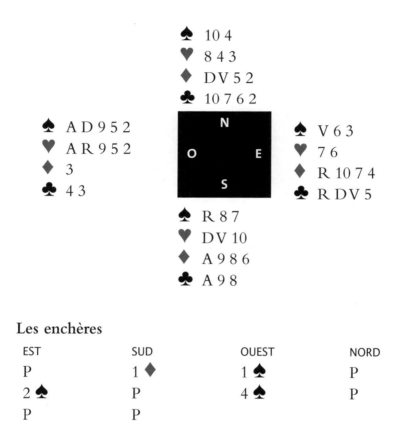

Les enchères

EST	SUD	OUEST	NORD
P	1 ♦	1 ♠	P
2 ♠	P	4 ♠	P
P	P		

Ouest fait une enchère défensive au niveau de 1. Il pourrait n'avoir que 6-8 points avec une bonne couleur cinquième. Quant à son partenaire, s'il a 10 points H, il devra parler et Ouest annoncera sa deuxième couleur (si Est ne soutient pas sa première couleur). Il n'existe ainsi nul risque de perdre une manche.

Tout comme pour une enchère d'ouverture, avec 2 longues, on annonce la plus chère des 2 couleurs à 5 cartes d'abord et l'autre ensuite. C'est pourquoi Ouest a commencé par parler à ♠.

En réponse, Est dit 2 ♠, ce qui signale 10 points H et 3 cartes ♠. Ouest compte 16 points dans sa main et annonce donc la manche à ♠.

Sur une enchère défensive de 1 à la couleur, avec 10 points H et un soutien de 3 cartes, on soutiendra la couleur du partenaire plutôt que d'en nommer une nouvelle. Toutefois, si on a une belle couleur majeure d'au moins 5 cartes, on devra l'annoncer, mais seulement si la couleur du partenaire est une mineure et qu'on n'a pas de fit dans une majeure. Lorsqu'on découvrira un bon fit de 8 cartes en majeure, il sera inutile d'en chercher un autre.

■ L'enchère défensive au niveau de 2

Il faut une belle couleur d'au moins 5 cartes et 2 levées défensives pour effectuer une enchère défensive qui force à parler au niveau de 2, par exemple, dire 2 ♥ sur 1 ♠.

Cette annonce devrait suggérer une bonne entame au partenaire et parfois lui permettre de faire un contre de pénalité.

2- L'enchère défensive « à simple saut faible » (« Weak jump overcall »)

Tout comme pour les ouvertures à 2 faible, l'enchère défensive à simple saut peut être effectuée avec une belle couleur de 6 cartes dans une main faible.

3- L'enchère défensive « à double saut »

L'enchère défensive « à double saut » annonce une couleur de 7 cartes ou plus, dominée au moins par Dame-Valet-Dix, mais aussi une main ne contenant nulle autre valeur. C'est une enchère de barrage qui suit les mêmes règles que l'enchère de barrage proprement dite.

Pour répondre à ce genre d'enchère, vous devrez suivre les mêmes règles que celles indiquées dans Les Réponses à l'ouverture de 3, 4 ou 5 d'une couleur.

Pour mieux comprendre l'enchère défensive à double saut, penchons-nous sur l'exemple suivant :

Donneur : Nord

Nord-Sud vulnérables

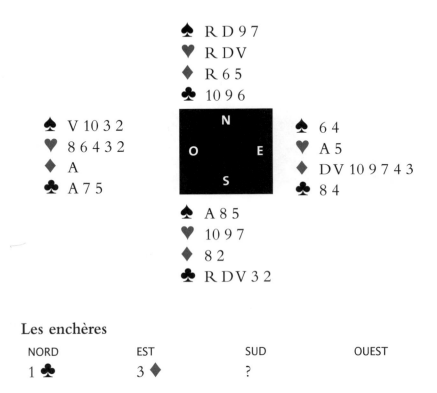

♠ R D 9 7
♥ R D V
♦ R 6 5
♣ 10 9 6

♠ V 10 3 2
♥ 8 6 4 3 2
♦ A
♣ A 7 5

♠ 6 4
♥ A 5
♦ D V 10 9 7 4 3
♣ 8 4

♠ A 8 5
♥ 10 9 7
♦ 8 2
♣ R D V 3 2

Les enchères

NORD	EST	SUD	OUEST
1 ♣	3 ♦	?	

Nord-Sud vulnérables peuvent gagner une manche à 3 Sans-Atout, mais la défensive d'Est leur rend la tâche difficile.

Si Sud dit 4 ♣, il dépasse la manche à Sans-Atout. Pour choisir le moindre de deux maux, il est préférable qu'il opte pour un contre négatif plutôt que pour l'annonce à 4 ♣. Nord dira soit 3 ♠, et il ratera la manche, soit, s'il est vraiment audacieux, 3 Sans-Atout, et il pourra remporter la manche.

(Le contre négatif demande ordinairement d'annoncer une majeure (à 4 cartes ou plus) et en promet une dans sa main, mais à toute règle il y a des exceptions. Il faut alors se fier à son jugement.)

Est pourrait réussir 3 ♦ contrés si Nord passe sur le contre de Sud, ce qui donnerait la manche à l'adversaire. C'est une situation difficile pour Nord-Sud qui peuvent gagner 10 levées à Sans-Atout mais aucun type de manche à la couleur.

4- L'enchère défensive « à Sans-Atout »

Pour annoncer 1 sans atout, après l'ouverture des enchères par l'équipe adverse, il faut, d'après le système «Standard d'Amérique», une main équivalente à l'ouverture normale de 1 Sans-Atout, c'est-à-dire une main régulière de 15-17 points et dont la force réside dans la couleur déclarée par l'adversaire.

La plus grande prudence s'impose avant l'annonce de 1 Sans-Atout en défensive, surtout si l'adversaire, placé à gauche, n'a pas encore eu son tour de parole. On risque effectivement de se retrouver coincé entre deux adversaires riches en points, qui en profiteraient pour faire un «contre de pénalité» désastreux pour notre équipe.

Cependant, il ne faut pas être trop pessimiste et considérer plutôt les avantages de cette enchère. Souvent, quand les points sont également partagés, le contrat de 1 Sans-Atout pourra être réussi aussi bien par une équipe que par l'autre. La première à l'annoncer aura l'avantage sur l'autre. Je considère donc qu'en 4e position, à condition que 2 joueurs aient déjà passé, l'enchère défensive de 1 Sans-Atout peut être faite avec 12 points seulement quand la meilleure couleur de la main correspond à celle nommée par l'adversaire.

Placée en 2e position, je risquerais cette enchère avec 14-15 points dans une main régulière ne contenant aucune couleur majeure de 4 cartes, mais offrant, naturellement, un arrêt dans la couleur annoncée par mon adversaire.

Le partenaire de celui ayant fait une enchère défensive à 1 Sans-Atout doit soit annoncer 2 d'une couleur de 5 cartes ou plus si sa main contient de 0 à 9 points, soit surenchérir à 2 Sans-Atout s'il compte 10 points H dans une main régulière.

Donneur : Sud
Est–Ouest vulnérables

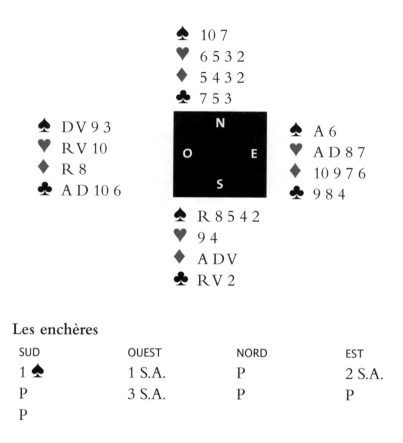

♠ 10 7
♥ 6 5 3 2
♦ 5 4 3 2
♣ 7 5 3

♠ D V 9 3
♥ R V 10
♦ R 8
♣ A D 10 6

♠ A 6
♥ A D 8 7
♦ 10 9 7 6
♣ 9 8 4

♠ R 8 5 4 2
♥ 9 4
♦ A D V
♣ R V 2

Les enchères

SUD	OUEST	NORD	EST
1 ♠	1 S.A.	P	2 S.A.
P	3 S.A.	P	P
P			

Après l'ouverture de Sud, Ouest fait une défensive à 1 Sans-Atout. Il n'a pas de longue à annoncer et il a la garde dans la couleur de l'adversaire. Par son enchère, il ne force pas son partenaire à parler ; avec 4 cartes de ♥, il aurait fait un « contre d'appel ».

Avec ses 10 points et sa main régulière, Est doit lui répondre par 2 Sans-Atout ; il n'est pas certain que son partenaire ait 16 points et sait qu'il pourrait n'en avoir que 14.

Si Est avait une longue en majeure, il sauterait à 3 dans sa couleur. Par contre, avec une longue dans une main sans valeur, il ne dirait que 2 de sa longue, ce qui nierait toute possibilité d'envisager une manche.

5- Le « contre d'appel »

Un « contre d'appel » est une enchère défensive effectuée par la prononciation du mot « contre » (« *double* », en anglais) une fois que l'adversaire a ouvert les enchères.

Il ne faut pas confondre le « contre d'appel » avec le « contre de pénalité » qui se signale lui aussi par la prononciation du mot « contre ». Le but de chacune de ces enchères est bien différent. En effet, le contre d'appel *force* le partenaire à annoncer sa meilleure couleur, tandis que le contre de pénalité lui demande de passer.

Mais comment les distinguer l'un et l'autre ?

Un contre est « d'appel » lorsque le partenaire de celui qui contre a déjà passé ou n'a pas encore annoncé, autrement dit quand celui qui contre ne connaît encore ni la valeur ni la distribution de la main de son partenaire. C'est une enchère effectuée à la 1re ou à la 2e occasion d'annoncer qui se présente.

Un contre est « de pénalité », au début des enchères, lorsque le partenaire de celui qui contre a déjà annoncé ; c'est-à-dire quand le joueur qui contre a déjà une certaine idée de la valeur et de la distribution de la main de son partenaire.

Au niveau de 3, un contre est généralement considéré comme un contre de pénalité, excepté sur les ouvertures de barrage (préemptives). Dans ce dernier cas, le partenaire de celui qui contre devra juger de l'opportunité d'annoncer ou de passer pour convertir le contre d'appel en contre de pénalité.

Un contre qui n'a pas été fait à la 1re ou à la 2e occasion d'annoncer doit être considéré comme étant un contre de pénalité.

Après avoir passé ainsi que son partenaire, on pourra effectuer un contre d'appel pour faire un « réveil ».

Un contre d'appel à la 1re occasion d'annoncer promet une main d'ouverture avec laquelle on aurait ouvert les enchères si l'adversaire ne l'avait lui-même déjà fait. Il promet aussi un bon contrôle des couleurs non annoncées. C'est une façon d'entrer dans la compétition lorsqu'on possède les points nécessaires à l'ouverture mais aucune couleur annonçable d'au moins 5 cartes.

L'ouvreur peut lui aussi, à son 2e tour de parole, faire un contre d'appel pour forcer son partenaire à parler, mais seulement si ce dernier n'a encore fait aucune annonce. Une réponse conventionnelle à une enchère impérative n'est pas considérée comme une annonce. Par conséquent, lorsque l'ouvreur contre immédiatement après l'intervention des adversaires, il oblige son partenaire à lui donner sa meilleure couleur.

Un contre répété une 2e fois, et même une 3e fois, au cours des enchères reste un contre d'appel quand le partenaire n'a cessé de passer. C'est une façon d'insister pour que le partenaire annonce, même s'il ne le désire pas. On insistera de cette façon, pour demander au partenaire d'indiquer son choix dans les couleurs non annoncées, lorsqu'on aura une bonne main avec une chicane ou des courtes dans les couleurs nommées par les adversaires.

Après avoir fait une enchère défensive, on pourra encore faire un contre d'appel pour forcer le partenaire soit à donner un soutien d'atout, soit à annoncer sa couleur s'il ne possède pas un soutien d'atout d'au moins 3 cartes.

Il faudra s'abstenir de faire un contre d'appel, même avec une bonne main, quand, par les annonces des adversaires, on aura compris que le partenaire ne peut avoir les valeurs nécessaires pour réussir un contrat.

Le but du contre d'appel est de trouver un fit à la couleur, si le partenaire a au moins 4 cartes dans une de nos couleurs, ou à Sans-Atout, si le partenaire a 8 points et une bonne protection dans les couleurs annoncées par les adversaires.

En résumé, le contre d'appel exige habituellement une main ayant la valeur d'une main d'ouverture, une courte dans la couleur annoncée par l'adversaire et un bon contrôle des couleurs non annoncées. Il force le partenaire à annoncer.

Un contre d'appel peut être effectué par les défendants ou par l'ouvreur, mais seulement lorsque le partenaire de celui qui fait ce contre n'a pas encore fait d'enchère.

Après un contre d'appel, le partenaire de l'ouvreur doit «surcontrer» lorsque sa main contient 10 francs points ou plus, même s'il n'a pas un bon soutien d'atout dans la couleur annoncée par son coéquipier. La force de sa main, combinée à celle de son partenaire, est grandement susceptible de gêner ses adversaires et de les surprendre dans un mauvais contrat qui pourrait leur coûter cher. En revanche, avec 6 à 9 points, il doit annoncer de la même façon qu'il l'aurait fait si l'adversaire n'avait pas contré. Enfin, avec moins de 6 points, il doit passer, même sur une enchère impérative, puisque le contre de l'adversaire maintient les enchères ouvertes.

Avant de répondre à son partenaire qui a contré, il faut s'assurer de la nature de son contre : est-il d'appel ou de pénalité ?

S'il est de pénalité, on doit passer. S'il est d'appel, on doit, *même si la main ne contient aucun point,* annoncer une couleur d'au moins 4 cartes. On annoncera une majeure de 4 cartes plutôt qu'une mineure, même de 5 cartes. Avec 2 majeures annonçables d'égale longueur, on annoncera ♠ d'abord. Avec 2 mineures équivalentes, ♦ d'abord. Avec un minimum de 8 points et une longue dans la couleur des adversaires offrant un arrêt certain, on pourra annoncer 1 Sans-Atout. Ou encore, si la forme de la main permet de croire que l'adversaire ne réussira pas son contrat, passer pour convertir le contre d'appel en contre de pénalité. Mais attention! Il faudra en ce cas avoir la quasi-certitude qu'on gagnera finalement plus de points en passant qu'en annonçant. Enfin, avec 10 points et plus dans l'équipe défensive, le partenaire de celui qui a contré annoncera à saut pour montrer une force, même dans une couleur de 4 cartes.

Occasionnellement, le répondant au contre devra annoncer une couleur de 3 cartes. Ceci se produira quand sa longue correspondra à la couleur nommée par l'adversaire et qu'il n'aura pas les 8 points nécessaires pour annoncer à Sans-Atout ou pour convertir le contre d'appel en contre de pénalité. Il annoncera alors la couleur située juste au-dessus de celle nommée par ses adversaires. Il faudra donc toujours se méfier d'une réponse forcée dans une couleur qui suit la couleur annoncée par les adversaires.

On ne sera pas tenu de répondre à un contre d'appel si l'adversaire surcontre ou fait une autre annonce. Dans ces deux cas, avec moins de 8 points, on passera. Avec 8-9 points, si on peut annoncer au niveau de 1, on le fera ou, si la forme de la main le permet et si l'adversaire a fait une autre enchère dans une de nos couleurs, on fera un contre de pénalité.

Celui ayant recours à un contre d'appel ne doit jamais oublier qu'il a forcé son partenaire à annoncer. Il ne devra donc pas reparler avec moins de 16 points, à moins que son partenaire ait fait une réponse à saut. Mais s'il a une bonne main (16-18 points), il pourra reparler. Avec 19 points ou plus, il pourra annoncer à saut s'il croit qu'une manche est possible et préférable à un contre de pénalité.

Dans de rares circonstances, on pourra annoncer après un contre de pénalité du partenaire. Cela sera possible, par exemple, quand on estimera avoir mal informé son partenaire et mis ainsi l'équipe adverse en situation de réussir son contrat, ou bien encore quand on aura une main de distribution propice à un contrat sacrifice, mais sans valeur défensive.

Voyons quelques exemples :

Donneur : Ouest

Est-Ouest vulnérables

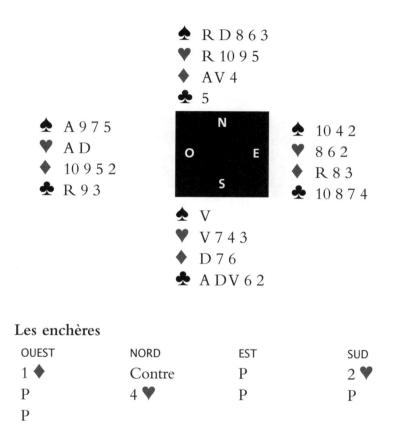

♠ R D 8 6 3
♥ R 10 9 5
♦ A V 4
♣ 5

♠ A 9 7 5
♥ A D
♦ 10 9 5 2
♣ R 9 3

♠ 10 4 2
♥ 8 6 2
♦ R 8 3
♣ 10 8 7 4

♠ V
♥ V 7 4 3
♦ D 7 6
♣ A D V 6 2

Les enchères

OUEST	NORD	EST	SUD
1 ♦	Contre	P	2 ♥
P	4 ♥	P	P
P			

Avec une distribution 5-4 dans les majeures, en défensive, on fait un contre d'appel afin de trouver le meilleur contrat. Avec une distribution 5-5, on annonce ♠ d'abord et ♥ au tour suivant.

Selon le principe des enchères, sur un contre d'appel de son partenaire, Sud est obligé de parler ; il le serait même avec 0 point, à moins d'une intervention d'Est. Pour montrer ses 10 points, il annonce à saut pour montrer qu'il n'est pas gêné de parler.

Sachant que son partenaire a 10 points, Nord peut annoncer la manche. En réévaluant sa main comme répondant puisque c'est Sud qui joue le contrat, Nord trouve 16 points dans sa main.

Pour réussir son contrat, Sud doit se faire une idée des jeux de ses adversaires. Il sait, par l'enchère de Ouest, dans laquelle de leurs deux mains se trouvent les points. Est ne peut pas avoir plus de 3 points dans sa main.

Sud n'a pas besoin d'utiliser l'impasse à ♣. S'il la tentait, son contrat chuterait.

Donneur : Sud
Est-Ouest vulnérables

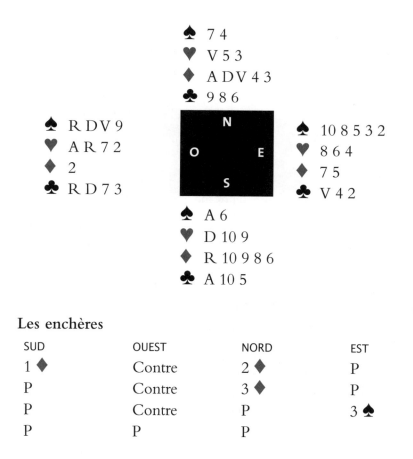

♠ 7 4
♥ V 5 3
♦ A D V 4 3
♣ 9 8 6

♠ R D V 9
♥ A R 7 2
♦ 2
♣ R D 7 3

♠ 10 8 5 3 2
♥ 8 6 4
♦ 7 5
♣ V 4 2

♠ A 6
♥ D 10 9
♦ R 10 9 8 6
♣ A 10 5

Les enchères

SUD	OUEST	NORD	EST
1 ♦	Contre	2 ♦	P
P	Contre	3 ♦	P
P	Contre	P	3 ♠
P	P	P	

La main d'Ouest vaut 20 points et il procède à un contre d'appel. Il demande ainsi à son partenaire de lui donner sa meilleure couleur.

Comme Nord dit 2 ♦, Est n'est plus forcé de parler, car les enchères restent ouvertes et Ouest pourra reparler s'il le juge utile.

Ouest contre effectivement une 2ᵉ fois : il insiste pour faire parler son partenaire. Toutefois, comme Nord parle encore, Est, qui n'a qu'un point dans sa main, passe encore.

Ouest contre une 3ᵉ fois et Est se trouve alors dans l'obligation de parler ; car l'adversaire a passé et s'il passe aussi, Ouest ne pourra plus reparler. Il dit 3 ♠ et finalement, avec la très bonne main de son partenaire, il réussira son contrat.

Un contre d'appel reste toujours « d'appel » tant que le partenaire n'a pas fait une enchère.

Le « contre de pénalité »

Un « contre de pénalité », en plus de demander au partenaire de passer, lui demande ordinairement l'entame dans une couleur spécifique :

- dans la couleur de celui qui a contré si, au cours des enchères, il en a annoncé une ;
- dans sa propre couleur, s'il en a annoncé une au cours des enchères ;
- dans la première couleur annoncée par le « mort », si aucun des défendants n'a annoncé au cours des enchères.

Le « contre d'une enchère artificielle »

On profitera de l'occasion offerte par une enchère artificielle pour contrer et demander ainsi l'entame dans cette couleur. On contrera dans ce but :

- sur une réponse conventionnelle de l'adversaire (sur un 5 ♣ ou plus en réponse à une demande Blackwood, par exemple) ;
- sur un cue bid (voir ci-après) ou toute autre enchère conventionnelle.

6- Le cue bid

Faire un cue bid, c'est annoncer une couleur dans laquelle il est évident qu'on ne désire pas jouer le contrat.

Le cue bid s'effectue par l'annonce de la couleur déjà nommée par l'adversaire. Il consiste, par exemple, à déclarer 2 ♥ après une ouverture de l'adversaire à 1 ♥. C'est une façon de dire au partenaire qu'on aurait ouvert les enchères par 2 ♣ si l'adversaire ne nous avait pas privé, par son annonce, de la possibilité de le faire.

Cette enchère promet un bon soutien d'atout dans les couleurs non annoncées et 1 chicane ou 1 singleton dans la couleur annoncée par l'adversaire. Tout comme le contre d'appel, elle force le partenaire à annoncer sa meilleure couleur, à cette différence près qu'elle indique une main beaucoup plus forte.

Le cue bid peut se faire à tous les niveaux d'enchère et par n'importe quel joueur, pour signaler une main très forte sans carte perdante dans la couleur annoncée par les adversaires (à la rigueur 1 carte perdante).

Pour ceux qui jouent le ♣ Impératif, une enchère défensive de 2 ♣ sur 1 ♣ d'ouverture conventionnel ne sera pas considérée comme un cue bid. Mais elle le sera sur l'annonce de toute autre couleur.

Dans la recherche d'un chelem, une fois que la couleur d'atout a été trouvée, le cue bid peut être effectué différemment, par l'annonce des contrôles supplémentaires. On l'appelle alors «cue bid des As et des Rois». Cette convention remplace parfois la convention Blackwood. Elle offre l'avantage de spécifier la couleur des As et des Rois contenus dans la main. Le cue bid est une enchère particulière qui réclame une bonne connaissance du bridge. C'est une arme fort utile pour ceux qui savent s'en servir.

Pour illustrer le principe du cue bid des As et des Rois, prenons un exemple :

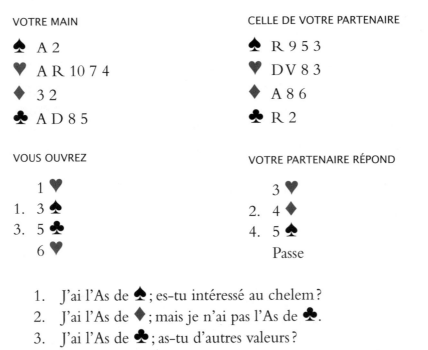

VOTRE MAIN	CELLE DE VOTRE PARTENAIRE
♠ A 2	♠ R 9 5 3
♥ A R 10 7 4	♥ D V 8 3
♦ 3 2	♦ A 8 6
♣ A D 8 5	♣ R 2

VOUS OUVREZ	VOTRE PARTENAIRE RÉPOND
1 ♥	3 ♥
1. 3 ♠	2. 4 ♦
3. 5 ♣	4. 5 ♠
6 ♥	Passe

1. J'ai l'As de ♠ ; es-tu intéressé au chelem ?
2. J'ai l'As de ♦ ; mais je n'ai pas l'As de ♣.
3. J'ai l'As de ♣ ; as-tu d'autres valeurs ?
4. J'ai le Roi de ♠.

Dès qu'on revient à la couleur d'atout, on dit n'avoir aucun autre contrôle.

Avec une bonne connaissance du cue bid de part et d'autre, on peut indiquer ses contrôles dans la couleur d'atout en annonçant à Sans-Atout pour les donner. Mais si on est l'ouvreur, on devra faire un cue bid avant d'annoncer ses contrôles d'atout afin de signaler son intérêt pour un chelem.

Avec cette connaissance, voici comment on procéderait avec la même donne :

VOUS OUVREZ	VOTRE PARTENAIRE RÉPOND
1 ♥	3 ♥
1. 3 ♠	2. 4 ♦
3. 4 Sans-Atout	4. 5 ♠
6 ♥	

1. J'ai l'As de ♠ ; es-tu intéressé au chelem ?
2. J'ai l'As de ♦ mais je n'ai pas l'As de ♣.
3. J'ai l'As d'atout et une bonne garde à ♣.
4. J'ai le Roi de ♠.

Si vous n'aviez pas l'As de ♣, vous diriez 4 ♥ sur 4 ♦ et ce serait un signal d'arrêt. En continuant le cue bid, vous affirmez n'être nullement gêné par l'arrêt que votre partenaire vous a dit ne pas avoir. (S'il avait eu l'As de ♣ il l'aurait annoncé avant l'As de ♦.)

Donneur : Ouest

Nord-Sud vulnérables

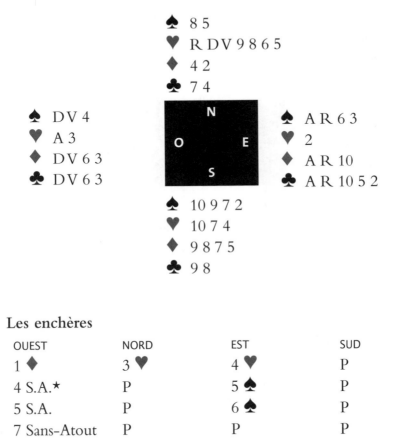

♠ 8 5
♥ R D V 9 8 6 5
♦ 4 2
♣ 7 4

♠ D V 4
♥ A 3
♦ D V 6 3
♣ D V 6 3

♠ A R 6 3
♥ 2
♦ A R 10
♣ A R 10 5 2

♠ 10 9 7 2
♥ 10 7 4
♦ 9 8 7 5
♣ 9 8

Les enchères

OUEST	NORD	EST	SUD
1 ♦	3 ♥	4 ♥	P
4 S.A.★	P	5 ♠	P
5 S.A.	P	6 ♠	P
7 Sans-Atout	P	P	P

★ Convention Blackwood

La défensive de Nord à double saut signale une longue d'au moins 7 cartes et soit pas plus de 9 points, en cas de non-vulnérabilité, soit pas plus de 11 points, en cas de vulnérabilité. C'est une enchère préemptive qui promet 6 ou 7 levées selon la vulnérabilité.

Cette enchère de barrage rend la communication difficile entre les adversaires. En effet, pourront-ils, après une telle annonce, indiquer l'un ou l'autre leur intention de se rendre au chelem et trouver dans quelle couleur le jouer? C'est dans de telles circonstances que le cue bid les tirera d'embarras. Il est inconcevable de penser qu'Est veuille vraiment jouer 4 ♥ après que Nord a dit posséder 7 cartes ♥.

7- Le « réveil »

Un «réveil» est une annonce qu'on fait librement, après avoir déjà passé. C'est un moyen de réouvrir les enchères, quand on se rend compte, par les annonces des adversaires, que les points sont à peu près également partagés entre les deux équipes et que les chances de gagner des points de bas de ligne sont équitablement réparties.

Un réveil est aussi un moyen de nuire aux adversaires, surtout lorsqu'un contrat à bas niveau leur permettrait de finir une manche ou un robre.

Un réveil s'effectue, une fois que le partenaire a lui aussi passé, soit par un contre d'appel ou par l'annonce d'une couleur d'au moins 5 cartes.

Les deux partenaires ayant déjà passé, il est évident qu'un réveil ne correspond pas à la recherche d'une manche, mais seulement d'une partie de manche.

Le partenaire de celui ayant procédé à un réveil devra toujours agir avec modération, même quand sa main contiendra 11-12 points. Sur un contre d'appel en réveil, il ne répondra pas à saut comme il l'aurait fait si le partenaire avait effectué un contre d'appel dès la première occasion qu'il avait de parler. Avec 10-12 points, il n'augmentera l'enchère que s'il y est poussé par les adversaires. Il sera pourtant forcé d'annoncer sur le contre d'appel, même si sa main ne contient aucun point. Seule l'intervention de l'adversaire placé avant lui le dégagera de cette obligation.

On s'abstiendra de faire un réveil lorsque les adversaires se livreront à des enchères constructives. On passera, même avec 12 points, puisqu'à ce moment-là, la faiblesse de la main du partenaire sera évidente. Annoncer soi-même ou forcer le partenaire à annoncer dans ces conditions serait téméraire et dangereux. En effet, non seulement on dévoilerait dans quelle main réside la force de l'équipe, mais on risquerait de subir un contre de pénalité.

Un réveil peut être effectué avec aussi peu que 9-10 points dans une main bien faite, car le partenaire est susceptible d'en avoir autant. L'exemple suivant en est la preuve :

Donneur : Nord

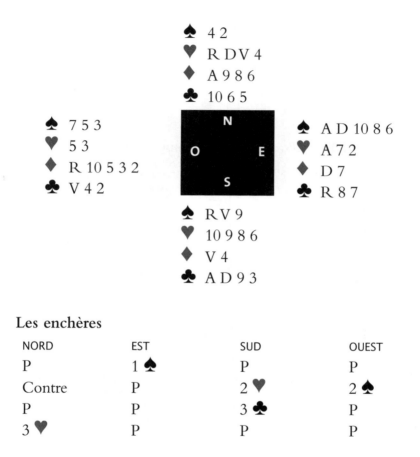

Les enchères

NORD	EST	SUD	OUEST
P	1 ♠	P	P
Contre	P	2 ♥	2 ♠
P	P	3 ♣	P
3 ♥	P	P	P

Après avoir passé, Nord fait un réveil par un contre d'appel ; d'après les enchères, il sait que Sud a des points.

Ayant déjà passé, Ouest peut risquer 2 ♠ ; son partenaire sait qu'il n'a pas 6 points, car s'il les avait, il aurait parlé au premier tour.

Avec ses 11 points, Sud n'a pas annoncé à saut sur le contre d'appel parce que son partenaire ayant passé à son premier tour de parole, il sait bien que celui-ci n'a pas une main d'ouverture.

Sud peut pourtant parler une autre fois. Ne pouvant répéter sa couleur de seulement 4 cartes, il annonce 3 ♣.

Nord doit revenir sur la première couleur de son partenaire car il sait qu'il y a fit à ♥. Sud pourra réussir 3 ♥.

■ Après une enchère d'ouverture « préemptive »

Lorsque l'adversaire ouvre les enchères par 2, 3, 4 ou 5 d'une couleur, il est plus difficile, évidemment, de trouver le contrat le plus approprié.

Si on fait un contre d'appel, le partenaire pourra le convertir en contre de pénalité ou annoncer. C'est surtout lorsque sa main aura peu de valeur qu'il devra répondre au contre d'appel. Mais avec une bonne main et 2 levées dans la couleur d'atout de l'adversaire, il pourra passer. (Convertir le contre d'appel en contre de pénalité.)

Le cue bid est très utile dans un tel cas, quand on a une main très puissante et qu'on veut forcer son partenaire à annoncer. Car on ne doit pas oublier qu'il pourrait passer sur un contre d'appel (dans ce cas particulier).

Avec une bonne main et un arrêt à 3 cartes commandé par l'As ou le Roi dans la couleur de l'adversaire, on peut annoncer 3 Sans-Atout. Si cet adversaire a une couleur de 7 cartes dans une main de peu de valeur, il n'a probablement pas de prise de main, et si on retient cet arrêt dans sa couleur jusqu'au 3e tour, son partenaire ne pourra pas la lui retourner s'il prend la main.

■ Après l'ouverture à UN Sans-Atout

Pour faire un contre d'appel après que l'adversaire a ouvert 1 Sans-Atout, il faut généralement avoir la valeur d'une main d'ouverture à 1 Sans-Atout

(15-17). Le partenaire, se fondant sur cette valeur, pourra convertir le contre d'appel en contre de pénalité avec 8 points. Mais dans sa décision, la vulnérabilité jouera encore là un grand rôle : il lui faudra calculer s'il pourrait gagner plus de points en laissant le contre pour pénalité qu'en gagnant les points du robre.

Après l'ouverture de 1 Sans-Atout par les adversaires, on pourra annoncer une belle couleur d'au moins 5 cartes, mais il faudra avoir 2 levées d'honneur.

■ Pour se défendre contre un **2** faible

Pour se défendre contre un 2 faible, on agira de la même façon que sur une ouverture normale, à ceci près, bien entendu, qu'on devra parler ou forcer son partenaire à annoncer à un niveau plus élevé. N'oubliez pas que l'ouvreur a signalé moins de 11 points H et n'en a peut-être pas plus que 6… Ne vous laissez pas intimider par une telle annonce. Si votre partenaire fait un contre d'appel, si vos adversaires sont vulnérables et si vous tenez bien leur couleur, ne vous gênez pas pour transformer le contre en contre de pénalité, surtout si vous n'êtes pas vulnérable. Dans le cas contraire, annoncez et tenez compte de la faiblesse de la main de votre adversaire.

L'adversaire placé à votre droite est le donneur et ouvre l'enchère par 1 ♦.

Quelle serait votre stratégie avec chacune des mains suivantes ?

1. ♠ R D V 8 4 3
   ♥ 8 2
   ♦ V 7 4 2
   ♣ 5

Dites 2 ♠. Cette enchère promet 6 cartes ♠, mais non les 13 points d'une main d'ouverture. Elle ne promet que 6-10 points H et suggère une bonne entame. Elle empêchera peut-être vos adversaires d'annoncer un contrat à Sans-Atout (Enchère défensive à simple saut faible).

2. ♠ D V 6 4
   ♥ R D 8 3
   ♦ 6 5
   ♣ A D 8

Contrez. Pour faire un contre d'appel, cette main est idéale : une courte dans la couleur annoncée par l'adversaire et un bon soutien dans les deux couleurs majeures. Ce contre forcera votre partenaire à parler si l'adversaire placé avant lui passe (Contre d'appel).

3. ♠ 8 5 2
   ♥ R D V 9 8 6 5
   ♦ 2
   ♣ 7 4

Dites 3 ♥. Ce double saut indique une main faible contenant 7 cartes d'atout. Cette enchère pourra gêner vos adversaires (Enchère défensive à double saut.)

4. ♠ R 4
   ♥ D 9 6
   ♦ A R V 7
   ♣ V 9 8 7

Dites 1 Sans-Atout ; la meilleure couleur de votre main est celle annoncée par votre adversaire et le contrôle des autres couleurs est insuffisant pour faire un contre d'appel (Enchère défensive à 1 Sans-Atout).

5. ♠ A R V 6 4
   ♥ R 8 7
   ♦ A D 7
   ♣ 8 5

Donnez votre couleur 5e au niveau de 1 et contrez au tour suivant (Contre d'appel).

6. ♠ R D V 9
   ♥ A R 7 2
   ♦ A
   ♣ R D 7 3

Dites 2 ♦. Le cue bid décrit parfaitement bien votre main « extraordinaire » : pas de carte perdante dans la couleur annoncée par votre adversaire et un très bon contrôle des couleurs non annoncées (Cue bid).

7. ♠ R D 7 4 2
   ♥ R D 5 3 2
   ♦ 9
   ♣ 8 6

Dites 1 ♠ : avec un bicolore 5-5, il vaut mieux annoncer la plus chère des 2 couleurs, avec l'intention d'annoncer l'autre au tour suivant s'il y a lieu. Cette enchère est préférable à un contre d'appel à cause duquel on perdrait un tour de parole et on risquerait de ne pas se trouver assez tôt dans le meilleur contrat à un niveau convenable ; surtout si l'adversaire suivant s'avisait d'annoncer à saut dans une couleur mineure.

8. ♠ R D 7 4
   ♥ R D 6 3
   ♦ 8 7
   ♣ 8 6 3

Passez. Cette main n'est pas assez forte pour que vous procédiez à un contre d'appel. Vous pourrez cependant faire un réveil en contrant au tour suivant si vos adversaires restent au niveau de 1.

9. ♠ R D 6 3
   ♥ A D 8 4 3
   ♦ 7 2
   ♣ 9 5

Contrez. Avec les deux majeures 4-5 (ou 5-4), il vaut mieux contrer dans l'espoir de trouver le meilleur fit possible. Si votre partenaire répond dans une mineure, vous direz 2 ♥.

10. ♠ 8 6 4
♥ 9 2
♦ A R D 7 5
♣ R 8 4

Passez. Les valeurs nécessaires pour annoncer 1 Sans-Atout manquent et le contrôle des couleurs non annoncées n'est pas suffisant pour faire un contre d'appel.

L'adversaire placé à votre gauche est le donneur et ouvre l'enchère par 1 ♣. Votre partenaire contre et votre adversaire de droite passe. Quelle serait votre stratégie avec chacune des mains suivantes ?

11. ♠ V 9 8 4
♥ R D 6 2
♦ 5 3
♣ 8 4 3

Dites 1 ♠. Sur un contre d'appel, contrairement à ce que l'on ferait en réponse directe à une enchère d'ouverture, on doit donner la plus chère des 2 couleurs annonçables d'abord, afin de pouvoir donner l'autre au tour suivant si nécessaire. Le partenaire aura alors le choix entre 2 couleurs et pourra revenir sur la 1re tout en restant au même niveau que son coéquipier.

12. ♠ 9 6 5 3
♥ 4
♦ 9 6 3
♣ 9 8 6 5 2

Dites 1 ♣. Un contre d'appel force toujours le partenaire à parler, même lorsque sa main ne contient aucun point. Il doit, si possible, annoncer une majeure de 4 cartes, de préférence à une mineure. Les 5 petites cartes de ♣ ne suffisent pas pour convertir le contre d'appel en contre de pénalité au niveau de 1.

13.   ♠   V 4 2
       ♥   9 6 5
       ♦   8 7 4
       ♣   D 8 4 3

Dites 1 ♦. Voici un cas exceptionnel où il faudra annoncer une couleur à 3 cartes. La faiblesse de la main ne permet pas de dire 1 Sans-Atout, bien que la meilleure couleur soit celle annoncée par l'adversaire.

14.   ♠   R 9 8
       ♥   A 8 4 3
       ♦   R 8 6 3 2
       ♣   7

Dites 2 ♥. Avec un minimum de 10 points d'honneurs, vous devrez répondre à saut sur un contre d'appel, même dans une couleur de 4 cartes, pour montrer la force de votre main. En outre, il vous faudra annoncer une majeure de 4 cartes de préférence à une mineure de 5 cartes.

15.   ♠   V 7 3
       ♥   D 9 3
       ♦   8 6 4
       ♣   R D 8 7

Dites 1 Sans-Atout : vous avez 8 points et votre plus belle suite se trouve être dans la couleur annoncée par l'adversaire.

16. ♠ 9 8
     ♥ 7 4
     ♦ A 8 5
     ♣ R D V 6 4 2

Passez ; votre partenaire comprendra que votre force est dans la couleur annoncée par l'adversaire et que votre main contient les valeurs nécessaires pour convertir le contre d'appel en contre de pénalité. L'ouvreur ne laissera probablement pas son enchère contrée et votre partenaire jugera de la conduite à tenir.

L'adversaire placé à votre gauche est le donneur et ouvre les enchères par 1 ♦, votre partenaire dit 1 ♠ et votre adversaire de droite passe. Quelle serait votre stratégie avec chacune des mains suivantes ?

17. ♠ D 8 4
     ♥ R 6
     ♦ A V 7 6 3
     ♣ 9 6 3

Dites 2 ♠. Avec 10 points H ou plus, il faut montrer votre force. Avec un soutien d'atout en majeure, il est préférable que vous le donniez plutôt que d'annoncer une nouvelle couleur, ce qui laisserait entendre que vous n'avez pas le fit dans la couleur de votre partenaire. Il faut 10 points H pour surenchérir une défensive.

18. ♠ 8 4
     ♥ D V 6 3
     ♦ A 8 4 2
     ♣ R 9 4

Dites 1 Sans-Atout. Vous signalez ainsi 10 points, un arrêt dans la couleur de l'adversaire et moins de 3 cartes en soutien d'atout.

19. ♠ D 8 6 3
    ♥ V 4 2
    ♦ R 5 4
    ♣ V 6 2

Passez. Même si vous avez un bon soutien d'atout, vous n'avez pas les 10 points nécessaires pour surenchérir. N'oubliez pas que votre partenaire peut avoir annoncé en défensive avec une main très faible.

20. ♠ 6
    ♥ V 8 6 5
    ♦ D 8 7 4
    ♣ V 9 3 2

Passez. Il est ennuyeux que votre courte soit dans la couleur de votre partenaire, mais vous risqueriez, en parlant, de vous retrouver dans un contrat pire encore.

L'adversaire placé à votre gauche est le donneur et ouvre les enchères par 1 ♣, votre partenaire dit 1 ♠ et votre adversaire de droite dit 2 ♥. Quelle serait votre stratégie avec les mains suivantes?

21. ♠ 6
    ♥ A D 10 4 2
    ♦ R D 8 4
    ♣ 9 7 3

Contrez. Vous avertissez votre partenaire de la mauvaise répartition des cartes. Votre contre de pénalité lui demande de passer. Ceci ne peut pas être un contre d'appel parce que votre partenaire a parlé.

22. ♠ V 8 4
♥ R V 6
♦ A V 9 6 4
♣ 8 3

Dites 2 ♠. Si les points sont également partagés entre les 2 équipes, vous aurez autant de chances que vos adversaires de réussir ce contrat.

23. ♠ D V 6 3
♥ 8 4 3
♦ A 8 4
♣ 9 8 5

Passez. Même avec un bon soutien d'atout, vous ne pouvez pas entrer dans la compétition parce que vous n'avez pas les 10 points nécessaires et votre main carrée perd 1 point de valeur sur un contrat en couleur.

Le donneur, votre partenaire, ouvre les enchères par 1 ♣ et l'adversaire placé à votre droite contre. Quelle serait votre stratégie avec les mains suivantes ?

24. ♠ V 9 8 3
♥ R D 5 2
♦ 5 4
♣ V 6 3

Dites 1 ♥. Sur un contre adverse, avec 6-9 points, on agit comme si l'adversaire n'avait rien dit.

25. ♠ R V 9 7
     ♥ A 7 4 3
     ♦ D 9 6 4
     ♣ 2

Surcontrez. Avec 10 points et plus sur un contre adverse, on doit surcontrer sans tenir compte de la distribution. Vous et votre partenaire avez plus de points que vos adversaires et ceux-ci pourraient bien avoir du mal à s'en tirer.

26. ♠ 9 4 3
     ♥ D 7 3 2
     ♦ D 9 4
     ♣ 8 6 4

Passez. Sur un contre, avec 5 points et une majeure quatrième, vous annonceriez cette majeure pour gêner vos adversaires. Mais avec 4 points H moins 1 point pour la distribution carrée, vous n'en avez pas les moyens.

L'adversaire placé à votre gauche est le donneur et ouvre les enchères par 1 ♣. Votre partenaire passe et votre adversaire de droite annonce 3 ♣. Quelle serait votre stratégie avec les mains suivantes ?

27. ♠ D 8 7
     ♥ R V 6 4
     ♦ R V 9 3
     ♣ A 6

Passez. D'après les enchères adverses, il est clair que la main de votre partenaire est nulle et tout seul, vous ne pourrez pas réussir un contrat. En parlant, vous aideriez les adversaires en trahissant votre force.

28.
♠ D V 10 9
♥ A 5 3
♦ A 7 3
♣ R 9 7

Passez. Mais si les adversaires montent ensuite à 4 ♠, vous ferez un contre de pénalité à votre prochain tour de parole.

29.
♠ 8
♥ R D V 9 8 5 3 2
♦ 8 5 3
♣ 7

Dites 4 ♥. Si votre partenaire a aussi une main nulle, vos adversaires ont en revanche un chelem de leur côté. Votre enchère permettra peut-être à votre partenaire de continuer le sacrifice s'il le juge approprié à la situation.

■ **L'enchère « sacrifice »**

Ceux qui jouent un bridge de compétition dans les clubs duplicata ou sur leur ordinateur branché sur Internet doivent absolument comprendre les avantages du jeu « sacrifice ».

Le jeu sacrifice consiste à entrer dans la compétition avec une couleur longue après avoir estimé que les adversaires pourraient gagner plus de points en réalisant leur contrat qu'en faisant chuter le nôtre tout comme dans la Main 29 des exercices précédents, relatifs aux enchères défensives.

En effet, chuter d'une ou de 2 levées est souvent plus avantageux que de laisser les adversaires gagner une manche ou un chelem. Lorsque non vulnérable et non contré, le sacrifice ne coûte que 50 ou 100 points. Ce sacrifice, dans une compétition, rapporterait une bonne note. Surtout, si non vulnérable contre vulnérable et dans ce cas même si on était contré.

Quand les adversaires sont vulnérables et annoncent une manche qui semble assurée, on peut, avec certaines valeurs, se sacrifier en annonçant un contrat qu'on sait ne pouvoir réussir, à condition de ne pas chuter de plus de 2 levées en situation de vulnérabilité et de 3 levées en situation de non-vulnérabilité. Chuter de plus, si on était contré, serait un mauvais sacrifice, car on donnerait plus de points aux adversaires qu'ils n'en pourraient gagner autrement.

Parfois, À NOTRE GRANDE SURPRISE, nous réaliserons un contrat qui se voulait un sacrifice. En admettant que nos adversaires l'aient contré (comme ils auraient dû le faire s'ils avaient compris notre astuce), notre audace serait récompensée par un Top (la meilleure marque sur une donne).

Bien sûr, toutes les mains ne se prêtent pas au jeu sacrifice et il faut une bonne connaissance des points pour s'y aventurer.

Le jeu suivant est un bon exemple d'un jeu sacrifice susceptible de procurer un Top.

Donneur : Est

Est-Ouest vulnérables

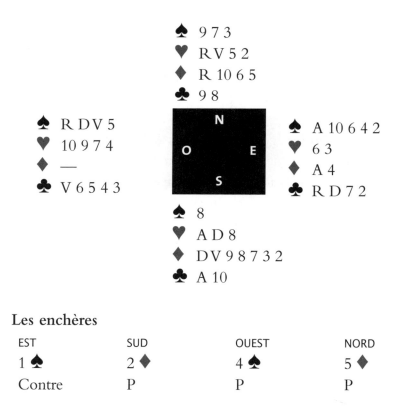

♠ 9 7 3
♥ R V 5 2
♦ R 10 6 5
♣ 9 8

♠ R D V 5
♥ 10 9 7 4
♦ —
♣ V 6 5 4 3

♠ A 10 6 4 2
♥ 6 3
♦ A 4
♣ R D 7 2

♠ 8
♥ A D 8
♦ D V 9 8 7 3 2
♣ A 10

Les enchères

EST	SUD	OUEST	NORD
1 ♠	2 ♦	4 ♠	5 ♦
Contre	P	P	P

Dans la situation non vulnérable contre vulnérable, le sacrifice à 5 ♦ en vaut la peine puisqu'il empêche l'adversaire de gagner le robre.

Ouest entame le Roi de ♠ et Sud compte ses cartes perdantes : 1 ♠, 1 ♦ et 1 ♣. Il espère se défausser de son 10 de ♣ perdant sur le valet de ♥ du mort et pouvoir ainsi réussir son contrat.

Est élabore aussi son plan ; en raison de l'enchère de son partenaire, il espère gagner 1 levée ♠, 1 ♦ et 1 ♣.

Est peut s'assurer de cette levée de ♣ en prenant le Roi de ♠ de son partenaire avec son As de ♠ et en jouant son Roi de ♣ pour affranchir sa Dame pendant qu'il a une prise de main avec son As de ♦ et avant que Sud puisse jeter son 10 de ♣ sur son Valet de ♥. Ainsi le contrat de Sud chutera d'une levée.

Si Est ne joue pas tout de suite son As, Sud réussira son contrat contré. Sud aura le temps de se défausser de son 10 de ♣ après avoir perdu l'As de ♦.

Lorsqu'on fait un bridge avec des amis (bridge libre), l'audace de telles enchères mène rarement à une victoire et peut même parfois être désastreuse. Pourtant, il faudra les utiliser avec certaines mains qui s'y prêtent bien. Voici l'exemple d'une autre partie où il est avantageux de le faire.

Donneur Nord

Nord–Sud vulnérables

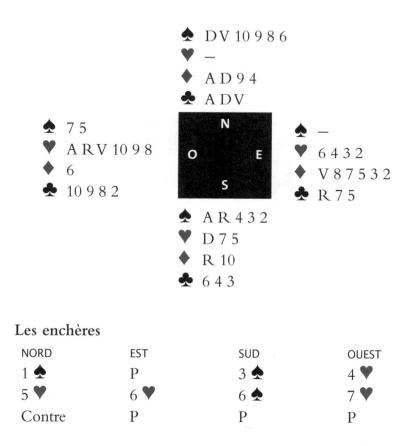

Les enchères

NORD	EST	SUD	OUEST
1 ♠	P	3 ♠	4 ♥
5 ♥	6 ♥	6 ♠	7 ♥
Contre	P	P	P

Nord-Sud vulnérables ont un bon contrat à 6 ♠ : ils gagneraient 1430 points s'ils le jouaient en compétition de duplicata. Au pire, Est-Ouest chuteront de 3 levées pour 500 points de pénalité. (Le cue bid en ♥ de Nord annonce aucune perdante en ♥.)

En revanche, Est-Ouest, en sacrifiant à 7 ♥, contrés non vulnérables, ne perdront que 500 points, car ils ne chuteront que de 3 levées. Même s'ils chutaient de 4 levées, leur sacrifice leur permettrait d'obtenir une bonne note.

Dans une partie de bridge libre, Nord-Sud gagneraient 1630 points : 750 pour le petit chelem vulnérable, 700 pour le robre en 2 manches et 180 pour leur contrat.

Est-Ouest, en jouant 7 ♥, ne perdraient que 500 points et réussiraient peut-être à gagner la partie par la suite si la chance leur souriait. Leur sacrifice est donc aussi valable en partie libre qu'en compétition.

Certaines équipes Nord-Sud, plus téméraires, diront éventuellement 7 ♠ et chuteront d'une levée. Ouest sera en ce cas le héros de la partie.

Si vous ne comprenez pas la raison de certaines réponses, étudiez à nouveau le système d'enchères défensives. Analysez de nouveau les exemples donnés à la lumière des principes du système exposé. Votre questionnement vous sera ainsi très profitable.

Si vous avez la chance de jouer avec un partenaire ayant étudié le système aussi bien que vous l'avez fait, vous formerez une équipe gagnante, car vous vous trouverez rarement dans un mauvais contrat.

Vous connaissez maintenant tout le système des enchères défensives. Dès que vous le maîtriserez bien, vous pourrez l'enrichir d'une convention à la fois et augmenter ainsi votre plaisir.

Pour devenir un bon joueur, il ne vous reste plus qu'à apprendre le jeu de la carte. Les chapitres suivants vous y aideront.

Chapitre 12

Le jeu de la carte

■ Le choix de l'entame

Par quelle carte entamer? Il s'agit là d'un problème non seulement délicat mais capital, car c'est très souvent de l'entame que dépend la réussite ou l'échec d'un contrat. De surcroît, puisque l'entame est toujours effectuée par l'équipe défensive, la carte et la couleur choisies peuvent parfois faire chuter le contrat au départ même du jeu.

Il existe une grande variété d'entames toutes aussi valables en elles-mêmes, mais dont la pertinence du choix, en fonction de la main, de la nature du contrat (à la couleur ou à Sant-Atout) et de la façon dont se sont déroulées les enchères, fait toute la différence.

Quand le partenaire a annoncé contre une enchère *à la couleur,* on entame ordinairement dans la couleur du partenaire.

Avec 2 cartes seulement, on entame par la plus forte.

Avec 3 ou 4 cartes, on entame la plus faible, sauf si on a l'As ou une séquence (R-D-V-, D-V-10, V-10-9, etc.), auxquels cas on doit jouer l'As ou la plus haute de la séquence.

On fera l'entame d'un singleton avant d'entamer la couleur du partenaire quand on aura une levée sûre en atout avec un surplus d'atout. De même, avec As-Roi doubleton d'une autre couleur, on jouera l'As d'abord puis le Roi, pour montrer une possibilité de couper un retour dans cette couleur, après quoi on jouera une carte de la couleur du partenaire. Par contre, avec 3 cartes ou plus d'une couleur dominée par As-Roi, on devra d'abord jouer le Roi.

Avec As-Roi-Valet-x d'une autre couleur, on entamera du Roi avant d'entamer la couleur du partenaire. Le but de cette entame est de prendre la Dame au piège, si elle se trouve dans la main du déclarant.

Quand le partenaire a annoncé contre une enchère *à Sans-Atout,* on entame ordinairement dans la couleur du partenaire.

Avec 2 cartes seulement, on entame de la plus forte.

Avec 3 ou 4 cartes, on entame de la plus faible, sauf si on a une séquence, auquel cas on entame de la plus forte de la séquence.

Quand le partenaire n'a pas annoncé contre une enchère *à la couleur:*

Avec As-Roi-x ou mieux, on entame du Roi.

Avec une séquence de 3 cartes ou plus (R-D-V, D-V-10, V-10-9, etc.), on entame de la plus forte.

Avec une couleur de 4 cartes ou plus, mais moins belle, on entame de la 4e carte à partir de la plus forte. Par exemple, avec D-9-7-5-3, on entame du 5. Sur un contrat à la couleur, il est à remarquer qu'il est rarement bon d'entamer d'une petite carte lorsque la couleur est dominée par l'As: on risque de donner 1 levée gratuite à l'adversaire qui pourrait n'avoir que le Roi singleton.

On ne fait l'entame d'un singleton ou d'un doubleton que si on a 1 levée sûre en atout avec un surplus d'atout.

On entame dans la couleur d'atout quand on prévoit, par les enchères adverses, que le déclarant a l'intention d'affranchir sa 2e couleur en coupant avec les cartes d'atout du mort.

Généralement, on n'entame pas dans une couleur qui a été annoncée par le déclarant. On entamera plutôt dans une couleur annoncée par le mort, c'est-à-dire dans ce qu'on appelle «la force de la table». Donc, en principe on entame dans la force du mort et dans la faiblesse du déclarant.

Il n'est ordinairement pas bon d'entamer avec une carte d'atout en singleton. Cela peut à l'occasion permettre au déclarant de capturer un honneur du partenaire.

L'entame dans une «tenace»: A–D–10, R–V–9, D–10–8 est généralement mauvaise. En attendant qu'un autre ouvre cette couleur, on augmente ses chances de réussir plus de levées dans cette couleur.

Quand le partenaire a contré l'enchère finale, on entame dans la couleur qu'il a demandée (voir à ce propos le «contre de pénalité», page 170).

Quand le partenaire n'a pas annoncé contre une enchère *à Sans-Atout*:

Avec As-Roi-Dame-Valet et plus d'une couleur, on entame de l'As.

Avec As-Roi-Dame-x-x-x, on entame de l'As.

L'entame de l'As en Sans-Atout demande au partenaire de jouer sa plus forte carte dans cette couleur.

Avec As-Roi-Dame-x-x, As-Roi-Dame-x, ou As-Roi-x, on entame du Roi.

L'entame du Roi en Sans-Atout demande au partenaire de jouer sa deuxième carte à partir de la plus forte dans cette couleur.

Avec une séquence de 3 cartes ou plus, on entame de la plus forte.

Avec une «fourchette» de 3 cartes ou plus, on n'entame pas cette couleur à moins d'en avoir 5 cartes, auquel cas on entame de la 2e à partir de la plus forte (A-D-V, R-V-10, D-10-9).

Quand on a une longue couleur percée, on entame cette couleur de la 4e carte à partir de la plus forte si on a des reprises de main. Sinon, on entamera plutôt dans une courte non annoncée par les adversaires, afin d'établir une belle couleur du partenaire, majeure de préférence.

D'après les enchères, on choisira d'entamer dans la couleur qui nous semblera la plus profitable.

À moins d'avoir de bonnes raisons pour le faire, on n'entamera pas d'un As sur un contrat à Sans-Atout. N'oublions pas que les As sont faits pour capturer les Rois, les Rois pour capturer les Dames, etc.

Lorsqu'on entame d'un 9, ce 9 est généralement considéré comme étant la plus forte carte d'une mauvaise couleur de 3 cartes. En anglais, on désigne ce type d'entame par l'expression *Top of Nothing,* qui rend parfaitement compte du fait qu'on y a recours seulement lorsqu'on n'a rien de mieux à faire.

Tous ces principes sont classiques. Si nous les appliquons bien, notre partenaire aura déjà, grâce à notre entame, une idée de la distribution de notre main.

L'art de faire une bonne entame s'acquiert avec l'expérience. Pourtant, et cela consolera peut-être les débutants, les meilleurs joueurs ne trouvent pas toujours la meilleure entame. C'est plus souvent qu'autrement une question de jugement mais, parfois, la distribution des mains déjoue les projets les mieux conçus.

■ Le plan de jeu

Établir un plan de jeu, c'est réfléchir à la meilleure façon de combiner les forces des 2 mains et étudier la marche à suivre pour réussir son contrat. Le plan doit toujours se faire avant de jouer la 1re carte du jeu du mort.

Pour le débutant, la construction d'un plan de jeu est un problème. Il s'en remet aux probabilités et ne sait par où commencer, ni comment combiner les valeurs de sa main et de celle du mort.

Sur un contrat à la couleur, il ne voit pas l'avantage d'une courte offerte par le mort, courte qui lui permettra d'éliminer ses propres cartes perdantes dans cette couleur, en les coupant avec les cartes d'atout du mort. Il fait donc 3 tours d'atout pour réaliser, trop tard, qu'il aurait dû couper ses perdantes avec les petites cartes d'atout du mort.

Il ne sait pas affranchir les petites cartes d'une couleur longue, afin qu'elles deviennent, plus tard, des cartes assurément gagnantes. Il ignore aussi les avantages qu'il peut y avoir à perdre 1 ou 2 levées dans cette couleur afin de l'affranchir.

Il ne sait pas non plus affranchir une carte, et la stratégie des impasses (ou finesses) est un mystère pour lui.

Il ne lui viendra pas à l'idée de se servir des bonnes cartes du jeu du mort pour se défausser, éventuellement, de ses propres cartes perdantes dans une autre couleur.

Il ne sait pas qu'il devra procéder à l'affranchissement d'une des deux mains seulement. Parfois ce sera celle du mort et le plus souvent ce sera la sienne, mais toujours avec l'aide de l'autre jeu. On parle d'un «mort inversé» *(Dummy reversal)* quand on affranchit la main du mort plutôt que celle du déclarant.

Pour le débutant, établir un plan de jeu constitue une perte de temps parce qu'il n'en saisit pas l'importance. Par conséquent, il n'en fait aucun. Et à la fin, il est tout surpris de n'avoir pas réussi son contrat alors qu'il avait les points nécessaires pour le réaliser. Très souvent, il aurait même pu gagner des levées supplémentaires. L'échec vient du fait qu'il n'a pas élaboré son plan avant de commencer à jouer.

■ Le plan d'un contrat à Sans-Atout

Quand on joue un contrat à Sans-Atout, on doit :

1- s'assurer qu'on a au moins un contrôle dans chacune des 4 couleurs ;

2- compter les levées qu'on a la certitude de gagner, sans risquer de perdre la main ;

3- compter les levées probables, c'est-à-dire celles qu'on pourrait gagner avec les cartes affranchies d'une suite plus ou moins longue ;

4- compter les levées possibles, c'est-à-dire celles qu'on pourrait gagner en effectuant des impasses.

Lorsque le déclarant n'a qu'un arrêt dans la couleur entamée par l'adversaire et qu'il ne peut, sans perdre la main, gagner toutes les levées nécessaires à la réussite de son contrat, il doit renoncer à prendre d'emblée cette levée et attendre, si possible, au 3e tour avant de jouer son As. Cela lui permettra d'épuiser un des adversaires dans cette couleur, pour l'empêcher de retourner plus tard la couleur à son partenaire, s'il reprend la main.

Avant d'encaisser ses levées certaines et lorsqu'il aura le contrôle des autres couleurs, il tâchera d'affranchir les cartes d'une longue suite, surtout si ces levées sont nécessaires à la réussite de son contrat, en perdant 1 ou 2 levées de cette couleur. Quand il aura le choix entre 2 couleurs de 8 cartes dans les deux mains réunies, partagées respectivement 4-4 et 5-3, il lui faudra choisir d'établir celle de 5-3. Il aura plus de chances de gagner 1 levée de plus avec la couleur lui offrant 5 cartes dans sa main.

S'il manque d'entrées dans la main qui contient une longue suite, il fera bien de donner la 1re levée de cette couleur, afin d'affranchir cette couleur avant de perdre le moyen d'y retourner. De même, il devra parfois «débloquer», c'est-à-dire jeter une forte carte sur une plus forte encore, de façon à se créer une entrée supplémentaire dans la main pauvre en entrées. Pour vous aider à bien comprendre cette stratégie, prenons un exemple.

Le mort a une longue suite avec As-Dame-Valet-10 en tête et vous possédez un singleton au Roi dans cette couleur. Le mort ne vous offre aucune autre entrée dans sa main que l'As de sa longue suite. Pour débloquer, vous devrez jeter votre Roi sur l'As dans le but d'affranchir sa longue suite afin de faire les levées correspondantes.

■ Le plan d'un contrat à la couleur

Sur un contrat à la couleur, contrairement à ce que l'on ferait sur un contrat à Sans-Atout, on élaborera son plan en comptant d'abord les levées perdantes de sa main. Puis, en s'appuyant sur les cartes du mort, on cherchera un moyen d'éviter ces échecs, soit en coupant ses cartes perdantes avec les atouts du mort, soit en se défaussant de ces cartes sur les levées du mort lorsque cela sera possible.

On comptera les cartes d'atout des 2 mains réunies pour savoir combien il en reste chez les adversaires. S'il leur en reste 5, on estimera la possibilité d'un partage 5-0, 4-1, 3-2. S'il leur en reste 4, le partage est-il 4-0, 3-1 ou 2-2? Selon les éventualités, on étudiera le moyen de perdre le moins de levées possible à l'atout.

Avec 8 cartes d'atout dans les deux mains réunies, on fera l'impasse à la Dame, mais avec 9 cartes, on ne la fera pas. On jouera l'As et le Roi dans l'espoir que les 4 cartes d'atout des adversaires soient réparties également entre eux (2-2) et que la Dame tombe.

Avant d'entamer l'atout, on verra s'il est nécessaire de couper des perdantes de sa main. Si cela est effectivement nécessaire et si le mort a 1 singleton perdant dans la couleur concernée par la coupe, avant d'épuiser les atouts du mort, on donnera cette levée aux adversaires afin de pouvoir couper les autres perdantes par la suite.

Certains contrats en couleur ne pourront être réussis qu'en utilisant les cartes d'atout des 2 mains pour couper de part et d'autre, ce qui s'appelle jouer à «double coupe». Ainsi, on fera parfois 8 ou 9 levées d'atout, ce qu'on ne pourrait pas faire en effectuant 1, 2 ou 3 tours d'atout.

Lorsqu'on joue à «double coupe», on doit d'abord encaisser ses As, afin que les adversaires ne puissent les couper plus tard.

Quand le partage des atouts est défavorable, mieux vaut jeter une carte perdante sur une autre carte perdante que couper. Dans cette situation, il serait dangereux de se raccourcir en atout car on pourrait perdre le contrôle du jeu, l'un des adversaires ayant une carte d'atout de plus que le déclarant. On procédera toujours ainsi lorsqu'on aura une perdante inévitable dans chaque main.

En résumé, pour faire le plan de son jeu, on compte d'abord ses levées certaines sur un contrat à Sans-Atout ou ses levées perdantes sur un contrat à la couleur.

Après avoir fait ce calcul, on cherche les moyens de se débarrasser des cartes perdantes et de gagner des levées probables. Cela pourra être accompli de 3 façons :

1- en affranchissant une longue suite sur laquelle on pourra se défausser des perdantes;

2- en tentant des impasses pour capturer les honneurs des adversaires;

3- en coupant des perdantes avant d'entamer la couleur d'atout.

On éliminera les atouts des adversaires dès que possible pour les empêcher de couper nos bonnes levées.

Par ailleurs, il faudra parfois donner la main à l'adversaire pour qu'il nous ouvre une couleur percée (As-Dame, par exemple), ce qui s'appelle «faire une mise en main».

Dès que le plan est établi, on joue la première carte du jeu du mort. On sait alors s'il est préférable de prendre la levée avec une carte de sa main pour mieux réaliser son plan.

Au cours de l'élaboration de son plan de jeu, on aura évidemment pris en considération les annonces des adversaires pour se faire une idée de leur main. À mesure que se déroulera le jeu, il suffira de bien compter les cartes qui passent pour connaître plus précisément la distribution des mains adverses.

On veillera à l'affranchissement des cartes intermédiaires, afin de bénéficier de toutes les levées affranchies.

Attention! Après avoir remporté 1 levée, le déclarant devra toujours repartir de la main qui aura gagné cette levée. Les défendants feront bien de surveiller le déclarant, car ils pourraient se faire jouer de vilains tours par leur adversaire, et cela sans malice de sa part mais par simple distraction, s'il repartait de sa main alors qu'il devrait repartir du mort ou vice versa.

■ La levée

Pour bien comprendre la valeur d'une levée, il faut d'abord savoir qu'on peut les classer essentiellement en 3 catégories:

1- les levées d'honneur : celles qu'on peut gagner avec les cartes fortes ;

2- les levées de longueur : celles qu'on peut gagner avec les petites cartes affranchies d'une longue suite ;

3- les levées d'atout : celles qu'on peut gagner, sur un contrat à la couleur, en coupant les perdantes de l'une ou de l'autre main avec les cartes d'atout de la main opposée.

On peut ajouter à cela les levées d'impasse : celles qu'on pourra gagner en capturant certains honneurs des mains des adversaires.

Pour illustrer ces données, voyons maintenant, dans les exemples qui suivent, comment Sud s'y prend pour élaborer le plan de son jeu, d'abord sur un contrat à Sans-Atout, puis sur un contrat à la couleur.

Avec la donne représentée ci-après, Sud joue un contrat de 3 Sans-Atout. Ouest a entamé du 2 de ♣ et Sud établit son plan avant de jouer une carte du jeu du mort.

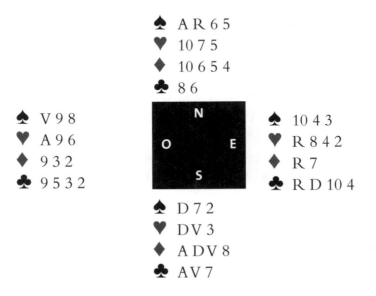

♠ A R 6 5
♥ 10 7 5
♦ 10 6 5 4
♣ 8 6

♠ V 9 8
♥ A 9 6
♦ 9 3 2
♣ 9 5 3 2

♠ 10 4 3
♥ R 8 4 2
♦ R 7
♣ R D 10 4

♠ D 7 2
♥ D V 3
♦ A D V 8
♣ A V 7

Sud compte :   3 levées certaines dans la suite ♠

1 levée certaine dans la suite ♥

3 levées certaines dans la suite ♦

1 levée certaine dans la suite ♣

Total : 8 levées certaines.

Or il lui faut 9 levées pour réussir son contrat ; il cherche donc où prendre la levée qui lui manque en comptant ses levées probables.

Sud compte 1 levée probable dans la suite ♠ : avec 7 cartes ♠ dans ses deux mains réunies, il a des chances que les 6 cartes ♠ de ses adversaires soient partagées 3-3.

Il compte 1 levée probable dans la suite ♦ : si le Roi se trouve dans la main d'Est, il pourra le capturer par des impasses.

Il compte 1 levée probable dans la suite ♣ : si le Roi et la Dame sont dans la main d'Est, il donnera 1 levée à ce dernier, capturera l'autre honneur avec son As, et son Valet prendra 1 levée.

Sud a trouvé 3 levées possibles en faisant son plan. Si ses prévisions sont bonnes, il pourra réussir 10 levées. Il ne perdra que l'As et le Roi de ♥ et 1 levée de ♣.

Avec la donne suivante, Sud joue un contrat de 4 ♠. Ouest a entamé du Roi de ♥ et Sud fait son plan avant de jouer une carte du jeu du mort.

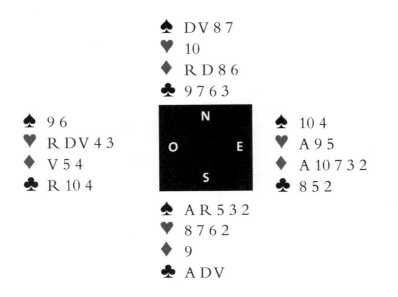

Pour faire le plan d'un contrat à la couleur, comme on l'a vu antérieurement, on compte d'abord ses levées perdantes (contrairement à ce que l'on fait pour un contrat à Sans-Atout) et on cherche à les éliminer, soit en les coupant soit en se défaussant sur des cartes affranchies.

Sud compte donc les levées perdantes de sa main :

Aucune dans sa couleur d'atout (♠).

4 perdantes en ♥ (dans sa main).

1 perdante en ♦ (dans sa main).

1 perdante en ♣ si le Roi est chez Ouest.

Au total : 6 perdantes.

Pour réussir son contrat, Sud ne peut perdre que 3 levées. Il doit donc éliminer 3 perdantes. Il pourra le faire en coupant, avec les atouts du mort, 2 ou 3 perdantes ♥ si ses adversaires n'ont pas la sagesse d'attaquer l'atout lorsqu'ils auront la main. Dans ce cas, Sud pourra se défausser d'une perdante ♥ sur un honneur de ♦ du mort après l'avoir affranchi. Sud a donc trouvé le moyen de réussir son contrat.

Pour faire chuter un contrat, les défendants doivent aussi établir leur plan de jeu. Avec la donne suivante :

Donneur : Ouest
Tous vulnérables

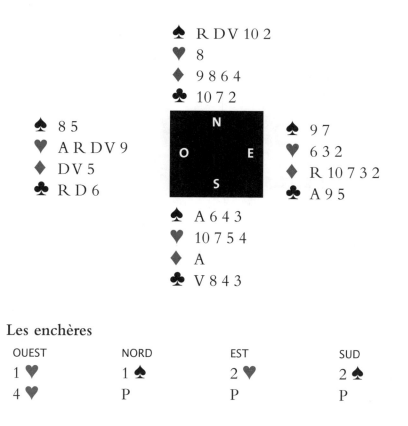

Les enchères

OUEST	NORD	EST	SUD
1 ♥	1 ♠	2 ♥	2 ♠
4 ♥	P	P	P

Ouest joue 4 ♥ et Nord entame du roi de ♠. Si Sud n'est pas attentif, Ouest réussira son contrat.

Sud compte gagner 2 levées à ♠ (avec son partenaire) et 1 levée à ♦ ; il lui faut remporter 1 autre levée pour faire chuter le contrat à 4 ♥ de l'équipe adverse. S'il joue distraitement un petit ♠ sur le Roi de son partenaire, Ouest gagnera ses 10 levées. Mais Sud a fait son plan : il prend le Roi de son partenaire avec son As, il joue son As de ♦ et revient dans la couleur de son partenaire avec un petit ♠.

Nord prend avec sa Dame et retourne à ♦ pour permettre à son partenaire de couper et de remporter la levée. Nord sait en effet que Sud n'aurait pas joué son As de ♦ s'il avait eu une autre carte de ♦, surtout que le Roi est au mort. Le contrat de Ouest chute donc d'une levée.

Remarquez que Nord n'a fait qu'une enchère défensive ; il ne promet pas 13 points. C'est pourquoi Sud avec ses 13 points en réponse ne fait que soutenir la couleur de son partenaire.

AUTRE AVIS DÉFENSIF :

Donner « coupe et défausse » au déclarant est une mauvaise manœuvre qui lui permettra parfois de réussir un contrat impossible ; « coupe et défausse » veut dire permettre à l'adversaire de couper de sa main ou de celle du mort alors qu'ils n'ont ni l'un ni l'autre de carte d'une couleur demandée et de jeter par la même occasion une perdante qu'il n'aurait pas pu couper autrement.

Voici un exemple :

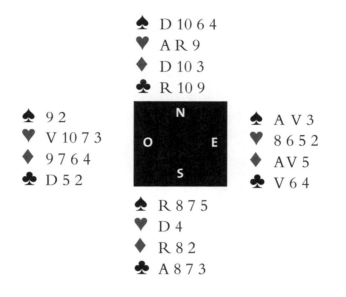

Sud joue un contrat de 4 ♠ ; Ouest entame du Valet de ♥.

Sud compte ses perdantes ; 2 ♠ + 2 ♦ +1 ♣. Il lui manque 2 levées pour réussir son contrat. Sans l'aide de ses adversaires, il chutera d'une levée.

Sud prend 3 levées de ♥ pour se défausser de son 2 de ♦ avant d'attaquer l'atout. Il joue vers son Roi de ♣ et continue vers le 10. Est prend 2 levées de ♠ et à ce moment les mains sont réduites à ceci :

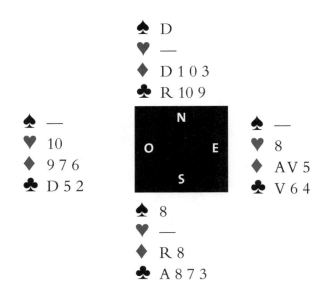

Est est en main ; il ne voit que la main de Nord ; s'il joue un ♦ ou un
♣ il donnera une impasse à l'adversaire et s'il joue un ♥ il donnera coupe
et défausse à Sud. Toutes ces options sont risquées.

Remarquez que s'il donne coupe et défausse, Sud réussira son contrat.
Il coupera de sa main et défaussera un ♣ du mort, après quoi il pourra
affranchir ses ♣ en coupant un ♣ avec l'atout du mort. Il ne perdra que
2 levées de ♠ et l'As de ♦ pour réussir son contrat.

Si Est joue son As de ♦ et un petit ♦, le contrat de Sud chutera d'une
levée ; il perdra 2 levées de ♠, l'As de ♦, et le 8 de ♣ qu'il n'aura pas eu
l'avantage de couper.

■ Les impasses ou finesses

Une impasse, ou finesse, est une astuce qui vise à réussir 1 levée avec
1 carte non affranchie. Quelques exemples montreront mieux que bien des

explications quand et comment faire une impasse pour capturer un honneur des adversaires et gagner une levée autrement perdue. Pour étudier cela, nous nous mettrons à la place de Sud.

(A D)

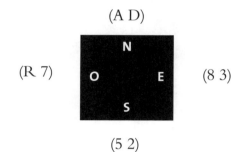

(R 7)   (8 3)

(5 2)

Ce diagramme présente une possibilité d'impasse. En jouant le 5 de sa main vers la Dame de Nord, Sud pourra capturer le Roi d'Ouest et réussir 2 levées, bien que n'ayant pas le Roi de la couleur en jeu.

(A V 10)

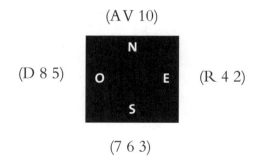

(D 8 5)   (R 4 2)

(7 6 3)

Ici, il manque à Sud 2 gros honneurs à la couleur, mais il pourra quand même réussir 2 levées s'il joue son 7 vers le Valet de Nord, qui sera pris par le Roi d'Est. Lorsque Sud reprendra la main, il jouera son 6 vers le 10 de Nord avec l'intention de faire une autre impasse ; il réussira ainsi 2 levées.

Cependant, si les 2 gros honneurs avaient été dans la main d'Est, Sud n'aurait pu réussir qu'une levée.

(A D 10 5)

(V 9 7 2)   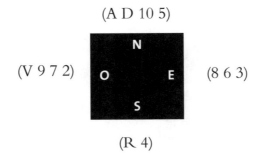   (8 6 3)

(R 4)

Sud a ici la possibilité de remporter 4 levées. Il jouera d'abord son Roi, puis le 4 vers le 10 de Nord. Si Ouest a le Valet de cette couleur, même à 4 cartes, il sera capturé et ne pourra gagner sa levée.

(A R 9 2)

(8 7)   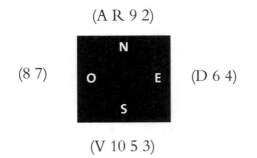   (D 6 4)

(V 10 5 3)

En jouant le Valet de sa main, Sud pourra, si la Dame est chez Ouest, réussir 4 levées avec cette couleur. Si la Dame est chez Est, il ne pourra réussir que 3 levées.

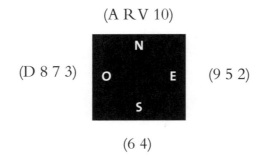

(A R V 10)

(D 8 7 3)   (9 5 2)

(6 4)

En jouant son 4 vers le Valet de Nord, Sud capturera la Dame si elle se trouve chez Ouest. Lorsque Sud reprendra la main, il jouera son 6 vers le 10 de Nord. Si la Dame est chez Est, Sud ne réussira que 3 levées.

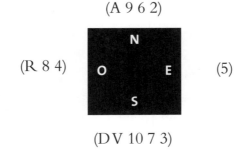

(A 9 6 2)

(R 8 4)   (5)

(D V 10 7 3)

Sud réussira 5 levées si le Roi est chez Ouest. S'il est chez Est, il n'en réussira que 4. Pour capturer le Roi, s'il est chez Ouest, Sud jouera la Dame de sa main et si Ouest ne joue le Roi, il jouera le 2 de Nord. Il continuera de même avec le Valet sur lequel il fournira le 6 de la table, puis il jouera le 3 de sa main vers le 9 de la table. Ouest perdra son Roi qui tombera sous l'As. Sud réussira une 5e levée avec la dernière carte de sa suite.

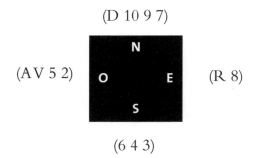

(D 10 9 7)

(A V 5 2)   (R 8)

(6 4 3)

Cette couleur ne donne pas beaucoup d'espoir et pourtant elle pourra procurer 2 levées si les gros honneurs sont avantageusement placés. En effet, si Ouest a l'As et le Valet et Est le Roi, Sud gagnera 2 levées. Il jouera le 3 de sa main vers le 9 qui sera pris par le Roi et jouera par la suite son 4 vers le 10. Il prendra ainsi le Valet d'Ouest. Finalement, Ouest ne fera que son As et Est, son Roi.

Étudiez bien ces petits exemples puis tentez de nouvelles expériences avec d'autres exemples de votre choix. Vous verrez que souvent, quand on s'en donne la peine, on découvre des levées gagnantes qui, à première vue, ne semblaient pas possibles à remporter. Lorsqu'une impasse sera possible dans les deux sens, le souvenir des enchères des adversaires et les points déjà joués de part et d'autre dicteront le sens le plus favorable.

Le déclarant doit mener son jeu de façon à pouvoir communiquer d'une main à l'autre et veiller à se ménager les entrées nécessaires pour aller encaisser les levées des cartes affranchies d'une longue suite. Il doit aussi se garder des entrées afin de pouvoir jouer vers la force dans laquelle il désire faire une impasse.

On sait que les As sont destinés à capturer les Rois, les Rois à capturer les Dames, etc. C'est pourquoi, en principe, un honneur doit couvrir un honneur.

Ordinairement, on joue vers la force de la couleur, en partant de l'autre main après qu'elle a remporté une levée.

(R D 8)

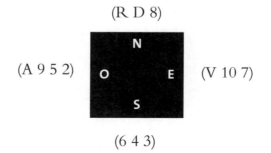

(A 9 5 2)

(V 10 7)

(6 4 3)

Ici, par exemple, on jouera le 3 vers la Dame. Si Ouest a l'As de cette couleur, Sud pourra gagner 2 levées. Après un retour dans sa main, il jouera son 4 vers le Roi.

On ne se servira d'un honneur pour capturer un honneur de l'adversaire (en impasse) que si on a l'honneur qui suit.

(A 8 5 3)

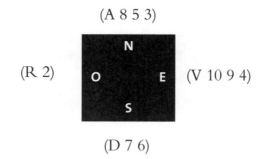

(R 2)

(V 10 9 4)

(D 7 6)

Dans cette répartition d'une couleur quelconque, si Sud jouait sa Dame pour capturer le Roi d'Ouest, il affranchirait le Valet et le 10 d'Est, qui pourrait alors gagner les 3 autres levées. Par contre, si Sud avait en main le Valet de la couleur à la place du 7, le sacrifice de sa Dame lui assurerait une levée avec le Valet. Mais puisqu'il n'a pas ce Valet, il doit partir du 6.

Couvrir un honneur avec un honneur nous semble parfois un sacrifice inutile, mais voyez, à la lumière de l'exemple suivant, comment le sacrifice d'un Roi pourra permettre au partenaire de faire une levée qu'il n'aurait pu gagner autrement.

(D 6)

(10 7 4) 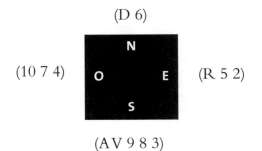 (R 5 2)

(A V 9 8 3)

Sud doit gagner 5 levées de cette couleur pour réussir son contrat. Il commence par jouer la Dame de la table. Si Est ne couvre pas avec son Roi, Sud gagnera les 5 levées. Mais si Est couvre la Dame avec son Roi, Sud ne pourra gagner que 4 levées. Il couvrira bien sûr le Roi avec son As, mais après avoir encaissé son Valet, il perdra forcément 1 levée au 10 d'Ouest qui sera affranchi.

Pendant que le déclarant élaborera son plan, les défendants élaboreront eux aussi le leur. Ayant l'avantage de voir le jeu du mort, ils étudieront chacun la marche à suivre pour faire chuter le contrat. Ils chercheront à détruire les communications entre les mains du déclarant et du mort. Ils évalueront leurs forces et décideront de quelle façon ils joueront leurs cartes.

■ Quelques principes à l'usage des défendants

Un défendant doit jouer dans la force du jeu placé à sa gauche et dans la faiblesse du jeu placé à sa droite. Le but visé dans les deux cas est de protéger les cartes fortes de son partenaire et de cerner les cartes fortes des adversaires.

Quand on est le 2e à jouer sur une levée, on joue ordinairement une petite carte. On ne transgresse cette règle que pour couvrir un honneur afin d'affranchir 1 levée possible au partenaire.

Lorsqu'on est le 3e à jouer à 1 levée, on joue une carte forte. Cette règle comporte 2 exceptions :

1- Lorsqu'un Roi est au mort et qu'on a l'As de cette couleur, on tentera de le prendre. On attendra qu'il soit joué à moins de croire que le déclarant a 1 singleton dans cette couleur. Le danger de jouer son As est d'affranchir la dame du déclarant et de lui donner ainsi 2 levées.

2- Quand on utilise la Règle de onze, on devient seul juge de l'opportunité ou non de jouer une carte forte.

On sait que celui qui entame d'une séquence doit entamer de la plus forte de la séquence ; avec Roi-Dame-Valet, on entame du Roi. Si on entamait du Valet, le partenaire croirait que le Roi et la Dame sont dans la main du déclarant.

Mais celui qui joue en 3e position doit faire le contraire ; avec une séquence de 2 ou 3 cartes il doit jouer la plus petite de sa séquence (qui a la même valeur que la plus forte), ceci pour montrer à son partenaire qu'il a 1 ou 2 cartes plus fortes dans sa main.

Par un exemple, voyons ce que cela donne :

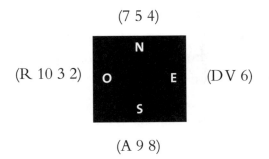

(7 5 4)

(R 10 3 2)   (D V 6)

(A 9 8)

Ouest entame du 2, Sud joue le 4 du mort et vous ?… Si vous jouez la Dame que Sud prend de l'As, votre partenaire croira que Sud a le valet et il ne pourra plus jouer dans cette couleur de peur de donner 1 levée au déclarant. Mais si vous jouez le valet que Sud prend de l'As, votre partenaire comprendra que vous avez la Dame et il ne sera pas gêné de jouer dans cette couleur s'il reprend la main. Si Sud avait eu la Dame, il n'aurait pas pris votre Valet avec l'As mais bien naturellement avec la Dame. Donc, en 3e position, on joue toujours la plus petite de la séquence contrairement à ce qu'on ferait en 1re position.

Il est reconnu qu'ouvrir une nouvelle couleur, en défensive, c'est donner 1 demi-levée aux adversaires. On ouvrira donc le moins de couleurs possible.

Sur des contrats de manche, on prendra ses levées certaines le plus tôt possible, surtout si le déclarant a un bicolore sur lequel il pourrait se défausser de ses perdantes.

On cherchera à deviner le jeu du déclarant, d'après ses enchères, et à découvrir, par déduction, les valeurs contenues dans la main de son partenaire. On tâchera ensuite de valoriser et de protéger ces valeurs.

Le déclarant cherchera lui aussi à deviner le jeu de ses adversaires, surtout quand ces derniers auront fait des enchères. Il pourra ainsi mieux juger de ses possibilités d'effectuer des impasses.

Chaque joueur devra compter les cartes jouées afin de profiter de l'opportunité de gagner 1 levée avec une petite carte affranchie.

Lorsqu'on joue en compétition, on doit compter ses cartes avant de les regarder. S'il en manque une ou s'il y en a une de trop, on doit appeler le directeur avant de regarder son jeu.

C'est une bonne habitude à prendre que de le faire aussi en partie libre. Si une carte manque dans une main, il y a maldonne et on doit recommencer la donne. Ce qu'on ne peut pas faire dans un jeu de compétition où tous les jeux sont faits à la 1re ronde et circulent d'une table à l'autre tout au long de la compétition.

Chapitre 13

Quelques principes élémentaires

■ Comment compter les cartes jouées

Un bon joueur de bridge compte les cartes qui sont jouées ; c'est ce qui le différencie du joueur moyen.

« Compter les cartes », ne veut pas nécessairement dire « compter les 52 cartes du jeu », mais compter plus particulièrement celles des couleurs capitales pour la réussite du contrat.

D'abord, il faut compter les cartes d'atout, c'est essentiel. Ensuite, les cartes des couleurs longues dans lesquelles on espère gagner des levées.

Une bonne méthode pour compter les cartes d'atout consiste à calculer en premier lieu le nombre d'atouts contenus dans les 2 mains réunies. Une fois le résultat trouvé, on le soustrait de 13, et la différence donne le nombre de cartes d'atout présentes dans les mains des adversaires. On n'a plus alors qu'à retenir ce nombre, c'est-à-dire le nombre d'atouts des adversaires, puis, à chaque levée d'atout jouée, à déduire de ce nombre les cartes jouées par les adversaires ; on fera de même pour toute autre couleur intéressante seulement. Voici un exemple :

Sud joue un contrat de 4 ♠. Nord, son partenaire, étale sur la table 4 cartes d'atout. Sud, qui en a 5 dans sa main, fait la somme : 5 + 4 = 9. Il soustrait donc 9 de 13 et constate que ses adversaires ont, à eux deux, 4 cartes d'atout. Il entame sa 1re levée de ♠ et chacun de ses adversaires fournit une carte de ♠. Mentalement, il fait le calcul 4 - 2 = 2. Il ne retient plus que ce chiffre. Il effectue un autre tour d'atout et l'un de ses adversaires se défausse d'une carte d'une autre couleur. Il arrive donc à la conclusion qu'il reste encore une carte d'atout chez ses adversaires et il sait de quel côté.

Un bon entraînement consiste à compter, en plus des cartes d'atout, les cartes d'une autre couleur à chaque donne. On en acquiert ainsi vite l'habitude et on finit toujours, à un moment donné, par pouvoir compter aisément les cartes des 4 couleurs.

■ La Règle de Onze

Pourquoi faut-il entamer de la 4e carte d'une longue et non pas de la 5e ou de la plus petite ? Parce que cette convention résulte d'une règle mathématique dont la précision autant que l'efficacité ont été largement prouvées.

Lorsque le partenaire entame d'un 7 ou d'une petite carte, c'est ordinairement la quatrième carte de sa suite la plus longue. Celle-ci comportera parfois 5, 6 ou 7 cartes. Quand ce sera le cas, on s'en apercevra aux tours suivants parce qu'il fournira des cartes plus faibles que celle de l'entame. La Règle de Onze permet de compter les cartes de cette couleur contenues dans la main du déclarant et donne une idée de la distribution de sa main.

Pour appliquer la Règle de Onze, on soustrait la dénomination de la carte entamée du chiffre 11 afin d'obtenir le nombre de cartes plus FORTES que la carte entamée contenues dans les mains des 3 joueurs autres que celui qui entame. On compte ensuite les cartes plus fortes situées dans la main du mort, on les additionne à celles de sa propre main et la différence entre le résultat obtenu et le précédent représente le nombre de cartes détenues par le déclarant.

EXEMPLE :

Ouest entame du 5 de sa couleur à 4 cartes. Partant du fait qu'Ouest a entamé de la 4ᵉ de sa plus longue suite, Est et le déclarant Sud peuvent faire la Règle de Onze pour savoir combien il reste de cartes plus fortes que le 5 réparties dans les 3 autres mains. Voyez la couleur complète dans le diagramme qui suit.

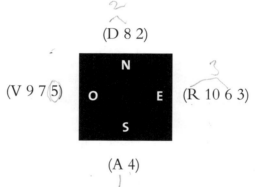

(D 8 2)

(V 9 7 5)   N   (R 10 6 3)
          O   E
              S

(A 4)

Est et Sud soustraient 5 (la dénomination de la carte entamée) de 11, ce qui donne 6. Il y a donc 6 cartes plus fortes que le 5 dans les trois mains Nord, Est et Sud.

Mettons-nous maintenant à la place d'Est. Il compte les 2 cartes plus fortes présentes sur la table (la Dame et le 8) et les ajoute aux 3 siennes (R–10–6), ce qui donne 5. Il n'en reste donc qu'une seule plus forte que le 5 dans la main du déclarant. Si le déclarant ne couvre pas le 5 avec une carte du mort, Est ne jouera que son 3. Si le déclarant couvre du 8, Est couvrira du 10 seulement. Si le déclarant couvre de la Dame, Est couvrira du Roi. De cette façon, Sud ne pourra faire qu'une levée dans cette couleur. Il en ferait 2 si Est jouait son Roi sur l'entame de son partenaire.

Le déclarant, lui, fait le même calcul avec la main du mort et la sienne. Sur les 6 cartes plus fortes que le 5, il en compte 2 chez le mort et une dans sa main, ce qui veut dire qu'Est en possède 3 plus fortes que le 5. Sud joue une petite carte du mort dans l'espoir qu'Est, ne connaissant pas la Règle de Onze, joue le Roi s'il l'a dans sa main.

Si cette entame a été faite sur un contrat à la couleur, Est sait que la plus forte carte de Sud est l'As, car son partenaire n'aurait pas entamé en dessous d'un As dans un contrat à la couleur. De fait, le 5 d'Ouest oblige le déclarant à jouer son As pour prendre la levée, et ne capturer que des petites cartes.

Si cette entame a été faite sur un contrat à Sans-Atout, Est sait que Sud fera toujours 1 levée avec la Dame s'il joue son Roi. Il préfère donc ne pas jouer son Roi, risquer que Sud ne puisse prendre la levée autrement qu'avec l'As et s'assurer ainsi que le déclarant ne fera pas d'autre levée dans cette couleur.

La Règle de Onze peut se faire à n'importe quel moment du jeu et dans n'importe quelle couleur, non encore ouverte, du moment qu'on se doute que la carte entamée est la 4e carte d'une suite dans cette couleur.

Quand, sur l'entame d'une carte faible, la Règle de Onze ne fonctionne pas, après le calcul réglementaire, c'est que l'entame est un singleton, une carte d'un doubleton ou d'une couleur de 3 cartes, ou encore toute autre entame que la 4e carte de sa plus longue suite.

Voici un exemple :

Donneur : Ouest

Est-Ouest vulnérables

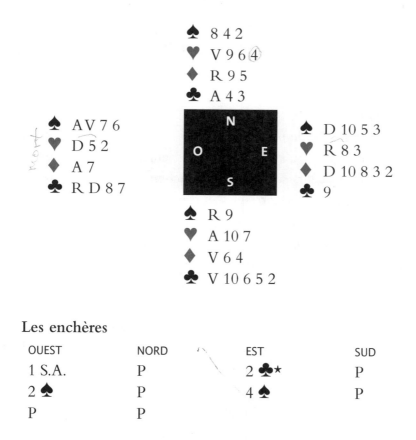

Les enchères

OUEST	NORD	EST	SUD
1 S.A.	P	2 ♣★	P
2 ♠	P	4 ♠	P
P	P		

★Le 2 ♣ d'Est (Convention Stayman) permet de trouver le fit à ♠ : Est compte maintenant 10 points dans sa main et saute à la manche.

Nord entame du 4 de ♥ ; Sud, en appliquant la règle de Onze, réalise qu'Ouest a dans sa main 2 cartes plus fortes que le 4. S'il joue son As, il risque d'affranchir la Dame et le Roi du déclarant ; ainsi, le jeu irréfléchi de Sud (s'il joue son As) donnera le contrat aux adversaires. Alors, attention ! Quand un As suit un Roi, sa fonction est de le prendre.

Si au contraire Sud ne joue que le 10, Ouest gagnera la levée avec sa Dame mais ne pourra pas en gagner une avec son Roi et son contrat chutera.

La Règle de Onze nous permet souvent d'enfreindre la loi voulant qu'en 3e position on joue sa carte la plus forte.

■ Les signaux

Il existe trois catégories de bridgeurs :

1- Ceux qui ne jouent qu'avec 13 cartes, les leurs. Ceux-là ne seront jamais de bons bridgeurs et ne seront pas recherchés comme partenaires.

2- Ceux qui jouent avec 26 cartes ; les leurs et celles du mort. Ils sont intéressants et, avec un peu de pratique, deviendront de bons bridgeurs.

3- Ceux qui jouent avec les 52 cartes du jeu. Ceux là sont des partenaires rêvés. Ils prêtent attention aux cartes qui passent, comptent les cartes restantes dans chaque couleur, se souviennent des annonces ayant précédé l'annonce du contrat et, merveille des merveilles, voient tous les signaux que leur lance leur partenaire. De surcroît, ils remarquent les signaux que se donnent les adversaires quand ils défendent un contrat. Rien ne leur échappe ; ils offrent une bonne défensive.

Disons tout de suite qu'un signal, au bridge, n'est pas un geste, mais une carte qui parle. Par certaines cartes jouées, on demandera au partenaire de poursuivre dans la couleur entamée, de l'abandonner, de changer pour jouer dans telle autre couleur ou encore de revenir dans une couleur déterminée après avoir repris la main. On lui dira aussi combien on a de cartes dans la couleur d'atout décidée par les adversaires et dans certaines autres couleurs. Ce langage très éloquent sera fort utile pour dé-faire les contrats des adversaires, au moyen de « l'écho » et du « signal de préférence de la couleur ».

« L'écho »

« L'écho » ou signal « haute-basse » (ce qui signifie « forte-faible ») consiste à jouer une forte carte puis une plus faible de la même couleur au tour suivant (9 puis 4, 7 puis 6, 5 puis 4 ou 3 puis 2, par exemple). L'écho de-mande au partenaire de poursuivre dans la couleur ou d'y revenir à la pre-mière occasion. L'écho dit en fait : « Je peux gagner 1 levée dans cette couleur, soit avec une bonne carte, soit en coupant. »

Si on joue une faible carte puis une plus forte au tour suivant (de la même couleur), on signifie au contraire au partenaire qu'on ne veut pas qu'il poursuive dans cette couleur. C'est un signal négatif.

Quand on désire signaler un doubleton par une haute-basse, il y a une exception à cette règle qu'il ne faut pas oublier ; c'est celle du doubleton à la Dame. Selon cette exception, le fait de jouer une Dame sur un As ou un Roi du partenaire réclame un retour avec une petite carte. C'est un signal qui indique une Dame singleton ou un couple Dame-Valet et désir de prendre la main, soit avec le Valet soit en coupant. Ce principe ne s'ap-plique pas à l'entame. On peut entamer avec la Dame d'un doubleton.

On peut aussi faire l'écho en se défaussant d'une couleur, lorsqu'on ne peut pas fournir à la levée. Si on joue « haute-basse », on demande cette cou-leur. Si on joue « basse-haute », on demande une autre couleur. Il faut par-fois conserver toutes les cartes de la couleur qu'on désire voir entamée, afin de pouvoir remporter toutes les levées qu'on envisage de faire dans cette couleur. C'est à ce moment-là, qu'on se défaussera d'une petite carte d'une autre couleur sans intérêt.

Il sera parfois utile de dire à son partenaire qu'on a soit 2-4-6 cartes, on jouera l'écho, soit «haute-basse». Avec un nombre de cartes impair, c'est-à-dire 3-5 cartes, on jouera «basse-haute».

Pour montrer exactement 3 cartes dans la couleur d'atout des adversaires, on recourra aussi à l'écho. Avec 2-4 cartes ou plus, on jouera «basse-haute». Le contraire des autres couleurs. On ne fera l'écho dans la couleur d'atout que lorsque ce sera utile pour la défensive. Par exemple pour dire combien de fois on pourra couper.

Le signal de préférence de la couleur

Ce signal, inventé par Hy Lavinthal, a pour but de dire au partenaire dans quelle couleur revenir s'il prend la main. Il se joue surtout sur les contrats en couleur, mais parfois aussi sur les contrats à Sans-Atout.

Sur un contrat à la couleur, lorsqu'on sait que le partenaire va couper la couleur entamée, on peut, par la carte qu'on lui fait couper, lui dire dans quelle couleur revenir. Ceci, afin de lui permettre de couper à nouveau et au plus tôt, avant que le déclarant ne prenne la main et ne lui enlève ses cartes d'atout.

Dans cette situation, pour donner le signal, on jouera une *haute (forte)* carte si on veut un retour dans la couleur *la plus chère* des 2 couleurs qui restent (on élimine la couleur d'atout et la couleur à couper). On jouera une basse (faible) carte si on veut un retour dans la couleur la moins chère.

On ne doit pas confondre un début d'écho sur l'entame d'un As ou d'un Roi avec un signal de préférence de la couleur : ce n'est que lorsque la main du mort indique que la couleur ne doit pas être continuée qu'une haute ou une basse carte demande le changement dans une autre couleur spécifique.

Si les couleurs qui restent sont ♠ et ♥, ♠ est la couleur *la plus chère* ; entre ♥ et ♦, ♥ est la plus chère ; entre ♦ et ♣, ♦ est la plus chère.

Voyez l'exemple :
Donneur : Ouest
Nord–Sud vulnérables

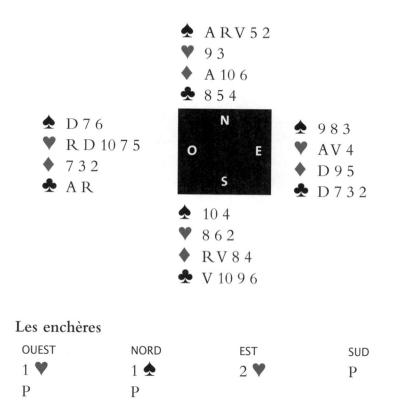

♠ A R V 5 2
♥ 9 3
♦ A 10 6
♣ 8 5 4

♠ D 7 6
♥ R D 10 7 5
♦ 7 3 2
♣ A R

♠ 9 8 3
♥ A V 4
♦ D 9 5
♣ D 7 3 2

♠ 10 4
♥ 8 6 2
♦ R V 8 4
♣ V 10 9 6

Les enchères

OUEST	NORD	EST	SUD
1 ♥	1 ♠	2 ♥	P
P	P		

Sans le signal de la préférence de la couleur, Nord-Sud auraient du mal à défaire ce contrat ; Ouest gagnerait 5 levées à ♥ et 3 levées de ♣.

Nord entame du Roi de ♠ et Sud commence un écho en jouant le 10 de ♠. Nord poursuit avec l'As et Sud complète l'écho avec le 4. Nord sait que son partenaire va couper le 3ᵉ tour de ♠ ; pour lui dire dans quelle couleur revenir, il joue son Valet de ♣ que Sud coupe. Cette forte carte demande un retour dans la couleur la plus chère des 2 couleurs qui restent, après ♠ et la couleur d'atout. Sud revient donc d'un petit ♦, Nord prend de son As et fait la Règle de Onze, car le 4 de ♦ se prête à la règle. Il sait que la main d'Ouest n'a qu'une carte plus forte que le 4 de Sud. Il revient d'un ♦ ce qui permettra à Sud de gagner son Roi et son Valet pour faire chuter le contrat d'une levée.

Remarquez que, pour Sud, un retour ♦ n'est pas plus attrayant qu'un retour à ♣ ; sans le signal, il aurait risqué d'effectuer un mauvais choix.

Sur un contrat à Sans-Atout, si on a une longue suite qu'on veut affranchir mais dans laquelle le partenaire ne peut pas rejouer, on lui dira, par la carte qui affranchira cette couleur, dans quelle autre couleur revenir s'il prend la main.

Une forte carte, jouée inutilement, demande un retour dans une couleur plus chère ; une faible carte, un retour dans une couleur moins chère. Il est vrai que le choix s'étend alors sur 3 couleurs, mais d'après le jeu du mort et le sien, le partenaire pourra facilement comprendre de quelle couleur il s'agit. Ce signal se donnera parfois sur l'entame du partenaire. Une forte carte, qui réclame normalement de continuer la couleur, demandera de changer de couleur pour en jouer une plus chère lorsqu'il sera évident, par les cartes du mort, que la couleur ne doit pas être continuée ; ou lorsque le mort aura 1 singleton dans la couleur entamée ; ou bien encore lorsqu'il y aura danger d'établir au mort des levées dans cette couleur. De la même façon, une basse carte demandera de changer en faveur d'une couleur moins chère.

Voici un exemple :
Sud joue un contrat de 4 ♠.

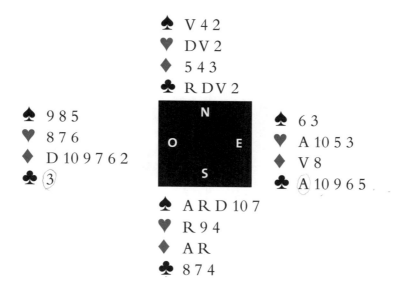

Ouest entame du 3 de ♣ et Est prend de l'As. Pour faire chuter le contrat de Sud sa seule chance est que le 3 de son partenaire soit 1 singleton. Dans ce cas il faudra le faire couper 2 fois. La probabilité que le 3 de ♣ soit un singleton est bonne en vue de ses 5 cartes et des 4 cartes du mort, et plus encore ça ne serait pas une entame assez agressive si son partenaire avait les 2 autres petites cartes de ♣. Donc Est joue le 10 de ♣ pour dire à son partenaire de revenir en ♥ afin de lui permettre de couper 2 fois. Est est récompensé d'avoir bien fait son plan de jeu défensif. Le contrat de Sud chute d'une levée avant d'avoir pu prendre la main pour chercher les atouts des adversaires.

Sans le signal de la préférence de la couleur, Sud aurait pu faire son contrat avec 1 levée supplémentaire.

Pour Ouest un retour ♥, sans le signal, après avoir coupé une fois n'est pas attrayant car si Est avait eu le Roi au lieu de l'As, il aurait été cerné et aurait avantagé Sud.

Chapitre 14

Les conventions usuelles

Les conventions comportant souvent plusieurs facettes, il est possible de les simplifier en utilisant seulement quelques-unes de leurs facettes. Certaines conventions incluent même tout un système qu'il serait fastidieux d'étudier. En ce qui concerne les conventions Blackwood, Gerber et Stayman que nous allons examiner, elles font partie du système « Standard d'Amérique ». De ce fait, il n'est pas nécessaire d'alerter ses adversaires lorsqu'on les joue dans un tournoi. Par contre, toutes les autres conventions employées doivent être signalées et expliquées aux adversaires.

En outre, il n'est pas permis de procéder à des ententes privées sur le système ou les conventions qu'on joue.

■ **La convention Blackwood**
(pour la recherche d'un chelem sur les contrats en couleur)
La convention Blackwood permet de demander au partenaire le nombre d'As et de Rois que contient sa main. Elle débute par l'appel aux As qui s'effectue par l'enchère de 4 Sans-Atout et se poursuit, après la demande d'As, par l'appel aux Rois qui s'effectue par l'enchère de 5 Sans-Atout.

Selon le nombre d'As et de Rois contenus dans sa main, le répondant choisira ses deux enchères artificielles parmi les réponses suivantes.

DEMANDE D'AS	RÉPONSES	PROMET
4 Sans-Atout	5 ♣	4 As ou aucun
(Combien d'As as-tu ?)	5 ♦	1 As
	5 ♥	2 As
	5 ♠	3 As
DEMANDE DE ROIS	RÉPONSES	PROMET
5 Sans-Atout	6 ♣	Aucun Roi ou 4
(Combien de Roi as-tu ?)	6 ♦	1 Roi
	6 ♥	2 Rois
	6 ♠	3 Rois

La demande de Rois présuppose la présence des 4 As dans les mains réunies de l'équipe déclarante. S'il manque un As, celui qui a fait la demande déclarera le chelem s'il le croit possible, mais sans passer par la demande de Rois.

Lorsqu'on a les 4 As dans sa propre main, il faut quand même passer par la demande d'As à 4 Sans-Atout, ceci tout simplement par principe, avant de faire la demande de Rois à 5 Sans-Atout.

Une chicane n'est pas considérée comme un As et ne doit pas être comptée avec le nombre d'As pour les réponses à 4 Sans-Atout. Pour annoncer une chicane en même temps que le nombre d'As, on sautera d'un niveau la réponse normale. Ainsi, avec 2 As et une chicane, par exemple, on dira 6 ♥ au lieu de 5 ♥. Ce type d'enchère est plus délicat, son emploi réclame une bonne connaissance de la convention et une entente parfaite entre partenaires.

Après avoir fait la demande d'As à 4 Sans-Atout, on voudra parfois jouer le contrat à 5 Sans-Atout. Mais si on annonce 5 Sans-Atout, le partenaire prendra, avec raison, cette enchère pour une demande de Rois. Le seul moyen d'éviter ce malentendu consiste à annoncer une couleur n'ayant pas encore été nommée. Par ce stratagème, on demande au partenaire d'annoncer lui-même 5 Sans-Atout.

La réponse à 5 ♣ pour signifier soit «J'ai 4 As» soit «Je n'ai aucun As» vous a peut-être laissé perplexe. Sur le moment, vous avez certainement pensé que cela n'avait aucun sens. Mais en y réfléchissant bien, vous comprendrez que cette réponse ne peut pas être équivoque. En effet, quand on procède à un appel aux As, qui dénote une intention d'aller au chelem, on sait qu'il existe environ 33 points dans les 2 mains réunies. Dans ces conditions, les 4 As (16 points) ne peuvent pas se trouver tous dans les mains des adversaires. Par conséquent, lorsque vous faites une demande d'As sans en avoir un seul en main et que vous recevez la réponse de 5 ♣, vous pouvez être rassuré : votre partenaire a les 4 As. Mais quand vous en avez 2 dans votre main et que vous recevez la réponse 5 ♣, vous pouvez alors être sûr que votre partenaire n'en a aucun.

La convention Blackwood s'emploie pour les contrats d'ouverture à la couleur. Pour les contrats d'ouverture à Sans-Atout, on se sert de la convention Gerber, laquelle ne devrait pas être employée pour les contrats ouverts en couleur. (L'annonce de 4 Sans-Atout est toujours une demande d'As, sauf dans un cas de misfit et lorsque les adversaires ont contré les couleurs annoncées. Cette enchère devient alors un compromis.) Le joueur qui demande 4 Sans-Atout devient le «capitaine» des enchères et c'est lui qui, normalement, sélectionne le contrat final.

Il serait dangereux de faire une demande d'As pour la recherche d'un chelem en mineure sans avoir soi-même au moins 1 As dans sa main, car on pourrait outrepasser ses forces si le partenaire répondait 5 ♥ pour annoncer 2 As.

Exemple :

Donneur : Est

Est-Ouest vulnérables

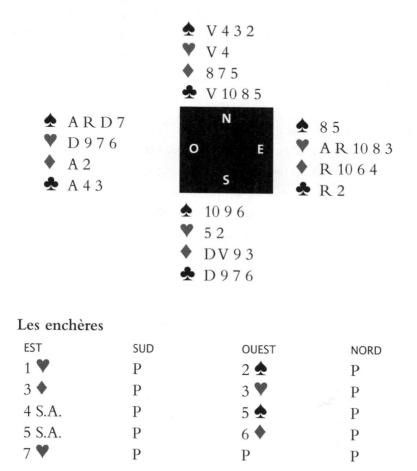

♠ V 4 3 2
♥ V 4
♦ 8 7 5
♣ V 10 8 5

♠ A R D 7
♥ D 9 7 6
♦ A 2
♣ A 4 3

♠ 8 5
♥ A R 10 8 3
♦ R 10 6 4
♣ R 2

♠ 10 9 6
♥ 5 2
♦ D V 9 3
♣ D 9 7 6

Les enchères

EST	SUD	OUEST	NORD
1 ♥	P	2 ♠	P
3 ♦	P	3 ♥	P
4 S.A.	P	5 ♠	P
5 S.A.	P	6 ♦	P
7 ♥	P	P	P

En effectuant un saut à 2 ♠ après l'ouverture à 1 ♥, Ouest signale 19 points et une ambition de chelem, mais ne promet pas une longue à ♠. Normalement, une telle enchère implique qu'on a le fit dans la couleur de l'ouvreur. Ouest pourrait même la faire avec seulement 3 cartes, car il sait que le contrat sera joué à ♥.

Est fait la demande d'As et de Rois pour se rendre au grand chelem.

Avec les 4 As et les 4 Rois, les joueurs de duplicata recherchent souvent un chelem à Sans-Atout, en considération des points : un contrat à Sans-Atout rapporte en effet 10 points de plus qu'un contrat dans une couleur majeure. Toutefois, dans le présent exemple, si le grand chelem à ♥ est possible, celui à Sans-Atout ne l'est pas.

■ La convention Gerber
(pour la recherche d'un chelem en Sans-Atout)

La convention Gerber est en premier lieu une demande d'As, effectuée par l'enchère de 4 ♣, et en second lieu, après la demande d'As, une demande de Rois, effectuée par l'enchère de 5 ♣.

Comme pour la Blackwood, le partenaire répond à cette demande par des enchères artificielles indiquant le nombre d'As et de Rois contenus dans sa main.

DEMANDE D'AS	RÉPONSES	PROMET
4 ♣	4 ♦	4 As ou aucun
(Combien d'As as-tu ?)	4 ♥	1 As
	4 ♠	2 As
	4 Sans-Atout	3 As
DEMANDE DE ROIS	RÉPONSES	PROMET
5 ♣	5 ♦	Aucun Roi ou 4
(Combien de Rois as-tu ?)	5 ♥	1 Roi
	5 ♠	2 Rois
	5 Sans-Atout	3 Rois

On se sert de la convention Gerber pour demander les As sur les ouvertures 1 ou 2 Sans-Atout. Sur les ouvertures à la couleur, elle est risquée à cause de son ambiguïté : on ne sait jamais si celui qui annonce 4 ♣ possède vraiment la couleur ♣ ou s'il procède à un appel aux As. Pour éviter cela, on devrait convenir de n'utiliser la convention Gerber qu'après les ouvertures à Sans-Atout.

L'avantage de la convention Gerber tient à ce qu'elle permet d'explorer les mains à un niveau moins élevé que la convention Blackwood.

■ Les Blackwood et Gerber avec interception (des adversaires)

Quand les adversaires seront entrés dans la compétition par une annonce quelconque pendant les demandes Blackwood ou Gerber, le répondant devra :

a)   Contrer si l'adversaire a annoncé la couleur qu'il se proposait de nommer.

b)   Ignorer l'interception s'il peut encore annoncer la couleur conventionnelle qui convient.

c)   Passer si le niveau atteint est trop élevé par rapport à l'annonce qu'il voulait faire.

Il n'est pas nécessaire d'avoir les 4 As pour annoncer un petit chelem, puisqu'un As ne gagne qu'une levée. Avec de bonnes cartes et les points nécessaires, on le réussira souvent avec seulement 3 As.

Lorsque, avec 33 points dans les deux mains réunies, on s'aperçoit qu'il leur manque un As, on ne doit pas procéder à l'appel aux Rois, mais on peut annoncer le petit chelem.

■ La convention Stayman (2 ♣)
(pour la recherche d'un fit en majeure sur les ouvertures à Sans-Atout)

Après que son partenaire a ouvert les enchères en Sans-Atout, la convention Stayman permet au répondant, par l'annonce de 2 ♣ conventionnel, de chercher un meilleur contrat à la couleur, ordinairement en majeure. Le répondant devrait avoir un minimum de 7 à 8 points H pour faire la convention Stayman.

L'enchère de 2 ♣ sur l'ouverture de 1 Sans-Atout est artificielle et demande à l'ouvreur s'il a une majeure de 4 cartes.

Grâce à cette annonce de 2 ♣, l'ouvreur comprendra que son partenaire cherche un contrat à la couleur.

Cette convention sera utile quand le répondant aura une main de distribution et croira donc préférable de jouer un contrat à la couleur. Il s'en servira pour essayer de trouver un fit d'au moins 8 cartes en majeure, et même parfois pour en trouver un plus long en mineure, s'il prévoit qu'un chelem ou une manche est possible et préférable dans cette couleur mineure.

Pour faire un Stayman, le répondant doit avoir au moins soit une couleur majeure de 4 cartes soit une couleur mineure de 6 cartes. En règle générale avec une distribution 4-3-3-3, le contrat se jouera mieux à Sans-Atout.

Le répondant ne fera pas un Stayman lorsque sa main contiendra une majeure de 5 cartes et moins de 4 cartes de l'autre majeure. Avec ce genre de main, il fera le Jacoby Transfer s'il le joue ou sinon, il répondra normalement en annonçant sa longue au niveau 2 ou de 3, selon ses points.

C'est surtout quand le répondant possédera 4 cartes d'une majeure et 5 cartes de l'autre majeure que cette convention lui sera utile. Ainsi que 4 cartes de ♠ et 4 cartes de ♥.

Sur 2 ♣ (Stayman), l'ouvreur à 1 Sans-Atout dira :
1. Sans majeure de 4 cartes :
    a) Avec 15-16 points : 2 ♦.
    b) Avec 17 points : 2 Sans-Atout.
2. Avec 1 majeure de 4 cartes :
    a) Avec 15-16 points : 2 de la couleur.
    b) Avec 17 points : 3 de la couleur.
3. Avec 2 majeures de 4 cartes :
    a) Avec 15-16 points : 3 ♣.
    b) Avec 17 points : 3 ♦.

La convention Stayman s'applique aussi à l'ouverture de 2 Sans-Atout.

■ Le Jacoby Transfer
(en réponse aux ouvertures à Sans-Atout)

Afin de permettre à l'ouvreur ayant annoncé 1 Sans-Atout de jouer lui-même un contrat à la couleur, le répondant, par la convention Jacoby Transfer, peut demander à son partenaire d'annoncer une couleur spécifique, c'est-à-dire la couleur située, dans l'ordre des couleurs, juste au-dessus de celle qu'il annonce. Ainsi, il dira :

2 ♦ ; s'il veut que le contrat soit joué à ♥ ; ce qui forcera l'ouvreur à dire 2 ♥.

2 ♥ ; s'il veut que le contrat soit joué à ♠ ; ce qui forcera l'ouvreur à dire 2 ♠.

(Certains experts diront 2 ♠ s'ils veulent que le contrat soit à ♣.)

L'avantage de cette convention tient à ce qu'elle permet à une équipe de garder sa meilleure main cachée.

Avec les mains suivantes :

- ♠ V 10 9 5 4 3
- ♥ 9
- ♦ R 8 3
- ♣ V 4 2

Sur 1 Sans-Atout, le répondant dira 2 ♥, l'ouvreur dira 2 ♠, et le répondant passera.

Avec celle-ci :

- ♠ 8 6
- ♥ D V 9 8 6
- ♦ 7
- ♣ A R 6 5 4

Le répondant dira 2 ♦ et sur 2 ♥ de l'ouvreur, il dira 3 ♣ pour signaler 2 longues avec les valeurs requises pour la manche. L'ouvreur décidera en dernier ressort du contrat le plus approprié à la situation.

Le Jacoby Transfer présente cependant un inconvénient : on oublie parfois qu'on joue cette convention et, par distraction, on passe sur 2 ♥, croyant être en présence d'un fit à ♥, alors qu'on devrait dire 2 ♠.

Cette convention n'exclut pas la convention Stayman qui s'effectue toujours à ♣.

■ La convention du « UN Sans-Atout forcing »
(sur les ouvertures en majeures)

Le « 1 Sans-Atout forcing » est une convention qu'on utilise uniquement lorsque le partenaire a ouvert les enchères par 1 ♥ ou 1 ♠. C'est une convention qui s'adapte à tous les systèmes. Les nombreux éléments de cette convention sont trop complexes pour que le bridgeur en herbe puisse en saisir toutes les nuances. Par conséquent, je la mentionne ici à titre informatif mais déconseille aux débutants de l'utiliser. En outre, ce livre ne s'adressant pas aux experts, je me bornerai à décrire son élément le plus utile.

Cette convention a pour but premier la découverte d'un meilleur contrat à la couleur lorsque le répondant a lui-même une couleur longue mais seulement 5-7 points et une courte dans la couleur majeure de son partenaire. Comme le répondant ne peut annoncer sa longue d'au moins 6 cartes au niveau de 1, il doit dire 1 Sans-Atout. Ce qui force son partenaire à dire 2 ♣.

Le répondant donnera ensuite sa longue et l'ouvreur passera s'il n'a pas d'autres valeurs. Si la longue d'au moins 6 cartes est en ♣, le répondant passera sur 2 ♣ ou dira 2 ♦ si sa longue couleur est en ♦ ou il dira 2 ♥ si sa longue est en ♥.

Prenons un exemple pour illustrer ce point.

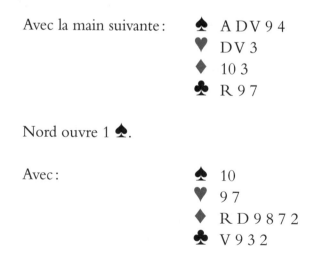

Avec la main suivante :

♠ A D V 9 4
♥ D V 3
♦ 10 3
♣ R 9 7

Nord ouvre 1 ♠.

Avec :

♠ 10
♥ 9 7
♦ R D 9 8 7 2
♣ V 9 3 2

Sud répond 1 Sans-Atout.

S'il ne joue pas la convention, Nord passera et il faudra beaucoup de chance à Sud pour réaliser son contrat à Sans-Atout, alors qu'il pourrait réussir facilement un contrat à 2 ♦.

En jouant la convention, sur 1 Sans-Atout, Nord dira 2 ♣ et Sud dira alors 2 ♦, annonce sur laquelle Nord devra passer.

■ La convention du «contre négatif»

Le «contre négatif» est une convention qui permet au répondant de décrire sa main lorsque l'adversaire le prive de ses moyens par une intervention.

C'est une enchère économique qui remplace la réponse naturelle de 1 ♥ ou 1 ♠ sur l'ouverture de 1 ♣ ou 1 ♦ du partenaire, quand l'adversaire est entré dans la compétition.

En contrant, le répondant dit au partenaire posséder l'autre majeure de 4 cartes si l'adversaire en a annoncé une, ou bien posséder 4 cartes d'une majeure et éventuellement 4 cartes dans les deux majeures si l'adversaire a annoncé une mineure.

Ce contre peut être utilisé avec aussi peu que 6 points H. Il permet alors de signaler en même temps au partenaire que la majeure promise ne comporte que 4 cartes.

Par le contre négatif, le partenaire de l'ouvreur demande à celui-ci d'annoncer une autre couleur. En fait, il lui précise:

1- je ne veux pas jouer dans ta couleur d'ouverture;

2- je n'ai pas de couleur à 5 cartes;

3- j'ai quelques valeurs (6 points H ou plus);

4- je n'ai pas la couleur annoncée par notre adversaire;

5- j'ai l'autre majeure, ou bien les 2 couleurs non annoncées.

Si, l'adversaire annonce 1 ♥ après l'ouverture à 1 ♣ du partenaire, par exemple, on dira 1 ♠ avec 5 cartes. Mais avec seulement 4 cartes ♠, on contrera ; cette annonce sera impérative pour un tour, à moins que l'ouvreur ne puisse convertir ce contre négatif en un contre de pénalité. Avec 4 cartes ♥, si l'adversaire dit : 1 ♠, on contrera, mais avec 5 cartes sur une défensive de 1 ♦, on dira 1 ♥.

Il est à remarquer qu'en réponse, après une intervention de l'adversaire, on peut nommer une majeure à 5 cartes au niveau de 2 avec seulement 8-9 points H. Mais il est indispensable que l'ouvreur ait été avisé de cette convention et se montre prudent.

Exemples relatifs au « contre négatif »

P	A	V	VOTRE MAIN			
1 ♣	1 ♠	Contre	♠ V 7	♥ 9 8 7 5	♦ A 8 3 2	♣ D 7 6
1 ♦	1 ♥	Contre	♠ 9 8 7 6	♥ D 7 6	♦ A 9 6	♣ D 4 2
1 ♣	1 ♠	2 ♥	♠ 6 4	♥ R V 8 4 3	♦ A 7 2	♣ V 10 6

P = partenaire ; A = adversaire ; V = vous

Sur l'enchère du « contre négatif », l'ouvreur :

Avec 13 à 15 points :	annonce 2 dans la couleur réclamée par son partenaire s'il a 4 cartes dans cette couleur. Sinon, il répète sa couleur si elle contient 1 carte de plus que le nombre annoncé, soit il parle à Sans-Atout s'il a un arrêt dans la couleur de l'adversaire.
Avec 17 à 18 points :	fait un saut dans la couleur réclamée s'il a 4 cartes dans cette couleur.

■ La convention du « 2 ♦ romain »

Selon la convention du « 2 ♦ romain », avec une main de distribution 4-4-4-1 ou 5-4-4-0 et 17 à 20 points HD, on ouvre à 2 ♦. Quand on joue cette convention, il est évident qu'on ne peut plus employer le 2 ♦ faible pour ouvrir.

Le partenaire répond 2 Sans-Atout avec 9 points ou plus lorsqu'il a l'ambition de se rendre à la manche ou à un chelem, et ce afin de demander à son partenaire de nommer la couleur dans laquelle il a 1 singleton ou 1 chicane.

Toute autre enchère du répondant est naturelle et dénote une main faible. Dans ce cas-là, si la couleur du répondant (qui peut ne comporter que 4 cartes) est la couleur correspondant au singleton ou à la chicane de l'ouvreur, ce dernier doit annoncer la couleur située, dans l'ordre des couleurs, juste au-dessus de celle venant d'être nommée par son partenaire. Par exemple :

1- sur 2 ♥, si la courte de l'ouvreur est en ♥, l'ouvreur dira 2 ♠ ;
2- sur 2 ♠, si sa courte est en ♠, il dira 2 Sans-Atout ;
3- sur 3 ♣, si sa courte est en ♣, il dira 3 ♦ ;
4- sur 3 ♦, si sa courte est en ♦, il dira 3 ♥.

Dès que l'ouvreur change la couleur du répondant, il signale que sa courte correspond à cette couleur ; ce qui force son partenaire à nommer la meilleure de ses autres couleurs.

Connaissant la distribution et la force du jeu de son partenaire, le répondant aura la responsabilité de trouver la couleur la plus appropriée et le meilleur niveau du contrat.

Cette convention peut s'avérer utile lorsque la main a la valeur d'une ouverture à Sans-Atout (de 15-17 points H), mais que la distribution ne permet pas cette ouverture.

Certains experts jouent cette convention avec des mains plus faibles (12 points H). Dans ces situations de relative faiblesse, elle peut être utile quand, non vulnérable contre vulnérable, on a l'intention de se livrer à un jeu sacrifice.

■ La convention du «Limit Jump Raise»
(saut d'enchère limitée en réponse à l'ouverture 1 ♠ ou 1 ♥)

La convention du «Limit Jump Raise» permet au répondant d'avertir l'ouvreur que sa main contient 11-12 points (pas plus pas moins) et au moins 3 cartes en support d'atout; cette convention ne se joue que sur les ouvertures 1 ♠ et 1 ♥.

L'ouvreur dit 1 ♠, le répondant dit 3 ♠.
L'ouvreur dit 1 ♥, le répondant dit 3 ♥.

Cette enchère n'est pas impérative.

C'est un renseignement utile pour l'ouvreur et nuisible pour les adversaires qui perdent un palier d'enchère.

C'est l'ouvreur qui décidera du contrat final.

■ La convention du ♣ impératif modifiée

La convention du ♣ impératif inventée en 1929 par Harold Vanderbilt, un des pionniers du bridge moderne, fait partie de nombreux systèmes d'enchère conventionnels.

À cette époque, le ♣ impératif était réservé aux mains d'ouverture de 19-20 points H seulement et c'est dans ce sens que les systèmes conventionnels la jouent encore aujourd'hui.

On a modifié cette convention pour l'adapter aux systèmes d'enchère naturels afin de bénéficier de l'avantage de montrer 19-20 points H à un bas niveau d'enchère.

Selon cette modification, l'ouverture par 1 ♣ impératif peut se faire avec 13-20 points tout comme pour l'ouverture de la meilleure mineure avec cette différence qu'elle force le partenaire à garder l'enchère ouverte par une annonce, même si sa main ne contient aucun point.

Avec cette convention, quand l'ouvreur annonce 1 ♣, il promet une main d'ouverture d'au moins 13 points HD mais ne promet aucune carte de ♣. De ce fait, on comprend aisément pourquoi le partenaire est forcé de garder les enchères ouvertes.

Avec moins de 6 points H, et à condition que l'adversaire n'entre pas dans la compétition, le partenaire fera la réponse conventionnelle de 1 ♦, même si sa main ne contient aucune carte de ♦. Cette réponse ne présente nul danger, quelle que soit la distribution, puisque l'ouvreur sera forcé de reparler et qu'il pourra encore le faire au niveau de 1.

Avec 6 points H et plus, le partenaire fera la réponse naturelle de 1 ♥ ou de 1 ♠ s'il possède 4 cartes dans l'une de ces couleurs, ou il dira 1 Sans-Atout si sa main ne contient pas plus de 10 points H et aucune couleur majeure d'au moins 4 cartes.

Remarquez que ce n'est qu'avec une main de 19-20 points H qu'on pourra transgresser la règle qui demande un minimum de 3 cartes de ♣ pour ouvrir de cette couleur et qu'à ce moment seulement la main pourra contenir 5 cartes ou plus d'une ou 2 couleurs majeures.

Ce sera par un saut à changement dans une couleur d'au moins 5 cartes que l'ouvreur à sa redemande pourra montrer ces valeurs ou par un saut en Sans-Atout avec une main carrée.

Les enchères subséquentes seront les mêmes que celles prescrites au chapitre des enchères.

Le répondant, connaissant la valeur de la main de son partenaire, jugera s'il peut chercher une manche ou un chelem. (19+6=25) (19+14=33)

Avec moins de 19 points H, on suivra les mêmes règles d'ouverture que celles de la meilleure mineure ; cependant, l'ouverture d'1 ♣ sera toujours impérative avec la réponse conventionnelle d'1 ♦.

J'ai toujours privilégié la convention du ♣ impératif dans mes autres exposés sur le bridge et malgré toutes les controverses qu'elle suscite, je continue à la préconiser.

Le mot de la fin

Les manières

La maîtrise de soi est une des plus belles qualités d'un joueur de bridge. Que son jeu soit bon ou mauvais, il n'en laisse rien voir ; que l'entame de son partenaire lui plaise ou non, c'est la même chose. Il ne trahit pas son jeu, ni celui de son partenaire.

Il existe par contre une catégorie de bridgeurs fort détestable : les joueurs qui laissent tout voir de leur jeu par des manifestations de bonne ou de mauvaise humeur, ou encore par des allusions ou des hésitations inutiles.

Il n'est pas honnête de donner des renseignements à son partenaire autrement que par ses déclarations ou par les signaux conventionnels. Celui qui le fait triche.

Tromper l'ennemi par un jeu savant est louable, mais le faire autrement n'est pas de mise au bridge. Demeurez impassible pendant le jeu ; tôt ou tard, vous y trouverez votre profit.

Pour améliorer votre bridge

Au terme de cet exposé sur les rouages du bridge il reste encore une étape à franchir : c'est la pratique et il en faut beaucoup. C'est la plus belle phase de l'apprentissage, car c'est enfin le temps de s'amuser. C'est bien de s'exercer seul mais c'est plus enrichissant de le faire à 4 personnes qui partagent les mêmes aspirations.

Il n'y a pas de limite à ce qu'on peut apprendre sur le bridge ; plus on en sait plus on veut en savoir. C'est un bon truc pour se sortir des heures grises.

Pour certains, le bridge à 4 personnes sera le meilleur passe-temps.

Pour d'autres, l'ambiance d'un groupe de bridgeurs qui se mesurent aux autres sera plus stimulante.

Pour la personne seule, il y a Internet qui comblera sa solitude.

Quel que soit votre choix, vous êtes prêt à l'affronter.

Lexique

Absence	Aucune carte dans une couleur. Synonyme : chicane.
ACBL	American Contract Bridge League
Affranchir	Rendre maîtresse une carte ou une couleur. Synonyme : établir.
Alerte	Signal donné pour avertir les adversaires que l'enchère est conventionnelle.
Annonce	Nomination d'une couleur, déclaration d'un contrat à Sans-Atout ou promesse de certaines valeurs. Synonyme : déclaration.
Arrêt	Carte forte assurant la garde d'une couleur. Synonyme : contrôle.
Atout	Couleur dans laquelle un contrat est joué.
Attaquer	Jouer la première carte d'une couleur ou d'une levée. Synonymes : ouvrir, entamer.
Bas de ligne	Points des contrats qui forment les manches.
Battre	Mélanger les cartes pour la donne suivante.
Belle	Couleur 5e contenant 2 gros honneurs ou couleurs 4e contenant 3 honneurs.
Bicolore	Main comportant 2 couleurs longues.
Blackwood	Demande d'As et de Rois conventionnelle.
Chelem	Contrat de 6 (petit chelem) ou de 7 (grand chelem) levées.
Chère	Dans l'ordre de priorité des couleurs, ♠ est la plus chère puis ♥ et ♦. ♣ est la couleur la moins chère.

Chicane	Absence de carte dans une couleur. Synonyme : absence.
Contrat	Nombre de levées qu'on s'est engagé à remporter. Un contrat peut être à la couleur (atout) ou à Sans-Atout.
Contrer	Mettre l'équipe adverse au défi de réaliser son contrat.
Contrôle	Carte forte assurant la garde d'une couleur. Synonyme : arrêt.
Convention	Enchère artificielle.
Couleur	♠, ♥, ♦, ♣.
Couper	Jouer une carte d'atout lorsqu'on a une chicane dans la couleur demandée et qu'on veut gagner la levée.
Couvrir	Mettre une carte plus forte.
Cue bid	Enchère artificielle dans la couleur de l'adversaire.
Déclarant	Premier joueur à nommer la couleur du contrat ou à dire Sans-Atout.
Déclaration	Nomination d'une couleur, déclaration d'un contrat à Sans-Atout ou promesse de certaines valeurs. Synonyme : annonce.
Défausser, se	Se débarrasser d'une carte inutile ou dangereuse à conserver.
Développer	Affranchir une couleur.
Distribution	Répartition des couleurs dans une main.
Donne	Distribution de toutes les cartes du jeu, une à une, dans le sens des aiguilles d'une montre.
Donneur	Joueur qui distribue les cartes.
Doubler	Anglicisme. Contrer ; défier l'adversaire.
Doubleton	2 cartes seulement dans une couleur.
Enchère	Annonce supérieure à celle de l'adversaire.
Enchérir	Au cours des enchères, hausser le niveau d'un contrat annoncé. Synonyme : surenchérir.
Entame	Jeu de la première carte.
Équipe	2 partenaires, ou 4 pour compétition d'équipes.

Établir	Affranchir une carte ou une couleur.
Étui	Communément appelé planchette pour les jeux de duplicata.
Fermer	Annoncer une manche ou un chelem ; faire la dernière enchère.
Fit	Accord de 2 mains alliées, dans une couleur (8 cartes d'atout dans les 2 mains réunies) ou dans plusieurs couleurs.
Forcing	Enchère qui oblige le partenaire à parler.
Fourchette	A-D-V, R-V-10, D-10-9.
Fournir	Jouer une carte de la couleur demandée.
Gerber	Demande d'As et de Rois conventionnelle sur les ouvertures en Sans-Atout.
Glisser	Se défausser d'une carte ; jeter une carte (voir Défausser).
Honneurs	As, Rois, Dames, Valets, 10.
Inverser	Après avoir annoncé une couleur, en nommer une plus chère (voir Couleur chère).
IMP	Imperial Master Point ; Méthode de conversion des points pour le classement en compétition.
Impasse	Finesse pour capturer un honneur.
Impératif	Qui force le partenaire à parler.
Jacoby Transfer	Convention relative aux ouvertures à Sans-Atout par laquelle un répondant ayant une couleur annonçable demande à son partenaire, l'ouvreur, d'annoncer lui-même le contrat dans cette couleur. Ainsi, le répondant confie à son partenaire la responsabilité de jouer le contrat.
Jeu blanc	Main qui ne contient aucun honneur (même pas un 10). Synonyme : Yarborough.
Kibitzer	Spectateur d'une partie de bridge.
Levée	Les 4 cartes jouées par les deux équipes. Synonyme : Pli.
Livre	Les 6 levées de base, c'est-à-dire celles qui ne sont pas comptées comme faisant partie des levées promises par le contrat.

Longue	Couleur de 4-5 cartes et plus.
Main	Les 13 cartes qu'un joueur a en main.
Maître à vie (Life Master)	Titre accordé à un expert en matière de bridge.
Majeure	Les couleurs majeures sont les couleurs ♠ et ♥.
Manche	100 points de bas de ligne au moins.
Mineure	Les couleurs mineures sont les couleurs ♦ et ♣.
Mise en main	Action de donner la levée à l'adversaire afin qu'il ouvre une couleur, ce qui nous arrangera.
Misfit	Non-accord des couleurs présentes dans 2 mains alliées, ce qui empêche la réalisation d'un bon contrat.
Mort	Partenaire du déclarant ; joueur qui étale son jeu sur la table et laisse à son partenaire le soin de jouer le contrat annoncé.
Mort inversé	Main du mort affranchie de préférence à celle du déclarant.
Niveau	Le niveau d'un contrat peut aller de 1 à 7. Annoncer au niveau de 1, c'est s'engager à réaliser 7 plis… au niveau de 7, 13 plis (grand chelem). Synonyme : palier.
Non vulnérable	Qui n'a aucune manche.
Ouvreur	Joueur qui fait la première enchère.
Ouvrir	
Les enchères	Faire la première enchère.
Une couleur	Jouer la première carte d'une couleur ou d'une levée. Synonyme : attaque.
Overcall	Anglicisme. Enchère défensive.
Paire	Deux partenaires. Synonyme : équipe.
Palier	Voir Niveau.
Passe	Mot qu'on prononce quand on ne fait aucune déclaration.
Pénalité	Points donnés à l'adversaire.
Percée	Couleur 5e ou 4e contenant A-D-10, R-V-9, etc. Synonyme : tenace.

Pli	Voir Levée.
Préemptive	Une enchère préemptive est une enchère de barrage.
Prime	Points gagnés en plus de ceux du contrat.
Psychique	Enchère promettant des valeurs non détenues.
Redemande	Deuxième enchère et toute annonce subséquente.
Relais	Annonce intermédiaire précédant une autre annonce plus significative.
Renonce	Fait de ne pas fournir la couleur demandée quand on a en main une carte de cette couleur.
Répondant	Joueur qui répond à l'enchère faite par son partenaire.
Robre	Partie de bridge en 2 ou 3 manches.
Sacrifice	Contrat voué à l'échec mais dont la pénalité de chute sera inférieure aux points que pourraient gagner les adversaires en réalisant leur contrat.
Sans-Atout	Pas de couleur d'atout.
Séquence	R–D–V, D–V–10, V–10–9.
Shut-out bid	Enchère qui réclame au partenaire de ne plus parler.
Singleton	Une seule carte dans une couleur.
Skip bid	Anglicisme. Enchère à saut.
Slam	Anglicisme. Chelem.
Standard d'Amérique	Système de bridge international.
Suite	Belle couleur.
Surcontrer	Doubler le contre de l'adversaire qui a contré.
Surenchérir	Hausser le niveau d'une enchère. Synonyme : enchérir.
Système	Méthode de communication permettant aux partenaires d'indiquer les valeurs contenues dans la main de leur coéquipier.
Tenace	A–D–10, R–V–9, D–10–8.

Top	Meilleure marque d'une donne dans une compétition.
Transfert	Opération par laquelle le répondant force son partenaire à jouer un contrat à la couleur qu'il devrait normalement jouer lui-même (voir aussi Jacoby Transfer).
Vulnérable	Qui a une manche.
Yarborough	Main qui ne contient aucun honneur (même pas un 10). Synonyme : jeu blanc.
Zéro	Zéro sur la marque d'une donne.

Table des matières

Cet ouvrage a été achevé d'imprimer
au Canada en juillet 2002.